Arrêtez de manger
vos émotions

Données de catalogage avant publication (Canada)
Vincent, Louise, 1956-

    Arrêtez de manger vos émotions

    (Psychologie)

    ISBN 2-7640-0321-8

    1. Alimentation – Comportement compulsif. 2. Émotions – Aspect physiologique. 3. Estime de soi. 4. Amaigrissement – Aspect physiologique. I. Titre. II. Collection: Collection Psychologie (Éditions Quebecor)

RC552,C65V56 1999   616.85'26   C99-940382-6

LES ÉDITIONS QUEBECOR
7, chemin Bates
Outremont (Québec)
H2V 1A6
Tél.: (514) 270-1746

©1999, Les Éditions Quebecor
Bibliothèque nationale du Québec
Bibliothèque nationale du Canada
ISBN: 2-7640-0321-8

Éditeur: Jacques Simard
Coordonnatrice à la production: Dianne Rioux
Conception de la page couverture: Bernard Langlois
Illustration de la page couverture: Christine Gagnon
Révision: Jocelyne Cormier
Correction d'épreuves: Francine St-Jean
Infographie: Jean-François Ouimet, JFO Design

Nous reconnaissons l'aide financière du gouvernement du Canada par l'entremise du Programme d'Aide au Développement de l'Industrie de l'Édition pour nos activités d'édition.

Louise Vincent

Arrêtez de manger vos émotions

LES ÉDITIONS
Quebecor

À Julie, ma douce.

*À Daniel, mon amour, mon ami,
mon complice.*

*À Mamie, merci de continuer à ensoleiller
ma vie, de là-haut...*

Introduction

Ce livre se veut absolument sans prétention. Je ne suis ni médecin, ni nutritionniste, ni psychologue, mais tout simplement une femme comme les autres à qui il est arrivé souvent de manger ses émotions qui, par la suite, devrais-je ajouter, s'est candidement demandé si son pèse-personne n'était pas défectueux!

Comme tant d'autres, j'ai connu au cours de ma vie de nombreuses joies mais aussi des peines, des moments difficiles. Et que ce soit pour fêter dignement un événement ou pour noyer un chagrin, il m'est arrivé fréquemment de trouver refuge dans la nourriture et de le regretter quelques minutes plus tard! En écrivant cet ouvrage, fruit de réflexions, de recherches, de souvenirs et de témoignages, je vous avouerai que je me suis livrée en quelque sorte à une thérapie. Je mentirais si je vous disais qu'il ne m'arrive plus jamais de manger mes émotions, mais il est certain que je ne vois plus les choses du même œil. Depuis quelques années, j'ai fait bien des progrès en ce sens en ayant développé des façons et des trucs pour vaincre cette habitude.

Il n'a jamais été question que je me prenne au sérieux en écrivant ce livre et je n'ai pas non plus la prétention de signer ici un ouvrage scientifique. Loin de là. J'ai simplement eu envie de mettre la main à la pâte en y ajoutant un zeste d'humour... Bon, ça y est, il est encore question de bouffe!

Sur une note un peu plus sérieuse, je dirais que si cet ouvrage ne doit être utile qu'à une seule personne, j'estime qu'il aura valu la peine d'être écrit. Plusieurs d'entre vous reconnaîtront des comportements qui leur sont propres en le lisant et j'ose espérer qu'il vous permettra aussi de passer de bons moments. Mais surtout, je souhaite que ce livre puisse être, pour vous, un bon outil et qu'après en avoir terminé la lecture, vous puissiez avoir quelques cartes de plus dans votre jeu afin de vous permettre de cesser de manger vos émotions et de faire face à l'avenir avec beaucoup d'optimisme.

CHAPITRE 1
MANGER SES ÉMOTIONS: UNE PRATIQUE TROP COURANTE

Comme bien d'autres femmes, je ne vous cacherai pas que, de façon plus ou moins consciente, j'ai toujours été préoccupée par mon poids, surtout au cours des dernières annécs. Le scénario est classique: on se lève le matin, on pose les pieds sur le pèse-personne en souhaitant très fort que le petit excès de la veille soit passé inaperçu... Peine perdue! On se promet de faire attention au cours de la journée, de ne manger que de la salade ou un substitut de repas, et voilà que, soudainement, parfois sans même savoir pourquoi, on se lance à corps perdu sur une gâterie. Notre centre émotif vient de nous jouer un tour et on n'a pas pu résister à l'appel de la bouffe. Choquant, non?

Selon les standards — attention, je ne crois pas aux standards des «top model» du style de Claudia Schiffer —, je n'ai jamais été «grosse» et je ne suis pas non plus obèse. D'accord, j'ai peut-être quelques kilos en trop, mais bon... Lorsque j'étais plus jeune, je n'avais pas la préoccupation de surveiller mon poids; j'étais plutôt du genre maigrichon, jusqu'à l'adolescence. Jeune adulte, je mangeais n'importe quoi et je n'engraissais pas, ce qui m'a permis de pouvoir, dès cet âge, commencer à manger mes émotions sans prendre un seul kilo. C'est dans la trentaine que ça s'est gâché! Les mêmes écarts me sont alors restés sur les hanches... Lorsque je sais que j'ai dépassé les bornes en prenant des repas un peu trop riches en calories, je tente toujours, le lendemain, de diminuer mes rations ou de manger plus léger. Ça fonctionne la plupart du temps, mais il arrive des journées où l'on oublie nos belles résolutions. Après tout, nous ne sommes pas infaillibles!

AH! LA CHANCEUSE!

Manger sans prendre de poids, est-ce possible? C'est la grande question, celle que toutes les femmes se posent. Qu'on aimerait donc ne pas avoir à vivre ce stress, pouvoir manger ce que l'on désire sans se demander s'il nous sera possible d'attacher la petite jupe achetée il y a deux mois! J'ai eu, à une certaine époque, une collègue de travail qui était en soi un véritable phénomène: elle pouvait ingurgiter n'importe quoi sans ne jamais prendre de poids. Elle était grande, mince, et je la soupçonnais même, lorsqu'elle se joignait à quelques-unes d'entre nous au resto, de prendre un malin plaisir à sélectionner des aliments très riches en calories, simplement pour nous narguer. Lorsqu'on lui demandait comment elle s'y prenait pour ne pas prendre de poids, elle nous disait à la blague que son mari et elle passaient leurs soirées à faire l'amour! J'en connais quelques-unes qui auraient bien aimé connaître son mari ou un homme aussi performant! Inutile de préciser qu'elle faisait beaucoup d'envieuses. On se disait qu'un jour (peut-être quand elle atteindrait la quarantaine), son métabolisme finirait bien par changer et qu'elle serait aussi aux prises avec les mêmes problèmes que nous... ou bien son mari finirait par ralentir ses ardeurs!

Nous avons toutes un jour rencontré une personne semblable, mais nous connaissons surtout une foule de femmes qui sont aux prises avec des problèmes de poids. Certaines adoptent un régime strict, d'autres, sachant qu'elles doivent couper le *junk food* ou le sucre, essaient tant bien que mal de perdre les quelques kilos en trop. On a vu, au cours de notre vie, une personne suivre un régime strict, perdre parfois au-delà d'une dizaine de kilos, puis les reprendre quelques semaines ou quelques mois plus tard... et même un peu plus. Ginette, une amie, est du nombre.

«J'AI TOUT REPRIS...»

«J'ai suivi durant un certain temps un régime aux protéines liquides et j'ai réussi à perdre dix kilos. Ça n'a pas été facile; j'essayais de me motiver de toutes les façons inimaginables, mais j'y suis parvenue. J'avais entrepris de contrôler mon poids et j'en étais à ma deuxième semaine de maintien lorsque j'ai perdu mon emploi. Ça m'a complètement déstabilisée, d'autant plus que je ne m'y attendais pas; c'était d'autant plus difficile à accepter. Je vivais alors seule, j'étais angoissée et, un après-midi, la marmite a explosé. Je suis sortie de la maison, je me suis rendue à la pâtisserie et j'ai acheté un gâteau d'anniversaire à la vanille pour huit personnes.

«De retour à la maison, j'en ai mangé un peu plus de la moitié, en une vingtaine de minutes, avec, en plus, de la crème glacée! Que ça m'a fait du bien! Pendant que je mangeais, je me disais que ça n'avait pas de sens, que tous les efforts des dernières semaines allaient être anéantis, que je devrais prendre le gâteau et le jeter à la poubelle, mais c'était plus fort que moi. C'était presque comme si j'étais possédée! À partir de cette journée, les choses ne se sont pas améliorées et, deux mois plus tard, quand je me suis déniché un autre emploi, j'ai décidé d'aller consulter afin de pouvoir régler le problème pour de bon parce que j'avais, bien sûr, repris les kilos perdus si difficilement.»

De toute évidence, la perte de son emploi avait été un dur choc pour Ginette, qui n'a pu se retenir de manger ses émotions.

MANGER TOUT CE QUI NOUS TOMBE SOUS LA MAIN

Manger mes émotions, ça me connaît. Dans mon cas, c'est dans la bouffe, particulièrement en me lançant sur des croustilles et du chocolat, que j'ai plus souvent qu'autrement réussi à calmer cette fringale subite à laquelle j'ai rarement été incapable de résister. Ça peut se produire à la maison, au bureau, alors qu'on est en automobile. Bref, n'importe où. Sur le coup, on ne comprend pas toujours pourquoi on a une fringale si subite, mais il arrive aussi qu'on sache exactement pourquoi on a envie de manger. Ça a souvent été, du moins dans mon cas, une façon inconsciente de me venger, de subvenir à un manque quelconque ou de fuir l'ennui.

Vous est-il déjà arrivé, alors que vous êtes à la maison, de ressentir soudainement une envie irrésistible de manger, une urgence de vous contenter? Et voilà que vous vous précipitez sur ce que vous pouvez trouver dans le garde-manger et qui vous semble appétissant. Vous mangez n'importe quoi, tout ce que vous pouvez vous mettre sous la dent. J'ai déjà vécu cette expérience.

En une occasion en particulier, alors que j'étais seule à la maison en début de soirée, des croustilles, du fromage, des biscuits au chocolat, un yogourt et une tartine de confiture se sont retrouvés dans mon estomac en moins de temps qu'il n'en faut pour le dire! Vous pensez bien que lorsqu'est venu le temps de me mettre au lit ce soir-là, allez savoir pourquoi, j'avais un peu l'estomac à l'envers... et j'avais honte! Surtout, je ne comprenais vraiment pas ce qui m'était passé par la tête pour me payer un tel festin.

Je me suis rendu compte le lendemain, en cherchant à comprendre la raison de mon comportement, qu'il y avait deux facteurs majeurs qui m'avaient incitée à agir ainsi. Il y avait, d'une part, ma relation amoureuse avec un homme, qui avait bien peu d'égard pour moi et qui me décevait, qui représentait une grande source de stress et, surtout, d'insatisfaction. Ajoutez à cela, d'autre part, les problèmes financiers que je tentais de surmonter de toutes les façons et qui m'empêchaient fréquemment de dormir ces derniers jours. Vous avez là le portrait d'une belle anxiété qui me rongeait. Ces deux éléments de ma vie qui me préoccupaient au plus haut point depuis quelques semaines m'avaient sans aucun doute poussée à m'empiffrer.

Heureusement, ce genre de situation, une véritable crise de boulimie, n'est survenue que très peu souvent. Je n'ai donc jamais cru bon de consulter parce que je n'ai jamais considéré que j'étais une véritable boulimique, comme on nous en trace le portrait.

Nous reparlerons un peu plus loin de la boulimie, mais nous verrons surtout quels trucs et quels stratagèmes j'ai développés et utilisés ces dernières années afin de parvenir à maîtriser ces rages de bouffe.

L'ENNUI : UN FACTEUR MAJEUR

On peut bien écrire durant des pages sur les différents comportements que nous, les femmes, pouvons avoir lorsque nous sommes en proie au stress ou que nous faisons face à des situations qui nous poussent à manger, mais il est aussi intéressant de déterminer quelques causes profondes qui peuvent nous inciter à agir ainsi.

Outre les soucis courants du quotidien, les frustrations causées par le comportement d'une personne, nos problèmes financiers, nos conflits avec nos proches ou tout bonnement une malchance qui survient, par exemple recevoir une contravention, l'ennui est sans aucun doute l'un des facteurs les plus importants qui peut expliquer pourquoi nous appelons la nourriture à notre rescousse.

Imaginez la situation suivante, que vous avez sûrement déjà vécue. Vous êtes seule à la maison, vous ne savez que faire de vos dix doigts. Vous téléphonez à une personne que vous aimez beaucoup : vous vous butez à un répondeur téléphonique. Alors, comme vous vous ennuyez, vous ouvrez machinalement la porte du réfrigérateur et vous regardez à l'intérieur en vous demandant: «Qu'est-ce que je pourrais bien manger?» C'est un peu gros comme exemple, mais c'est classique et, surtout, courant comme comportement.

LA POSE DEVANT LE RÉFRIGÉRATEUR...

Ma fille Julie a longtemps eu cette habitude, comme bon nombre d'adolescents. Aussitôt qu'elle mettait les pieds à la maison, elle allait ouvrir la porte du réfrigérateur et cherchait ce qu'elle pouvait bien se mettre sous la dent. Une véritable pose devant le frigo, comme si on attendait parfois que les aliments nous sautent dans les bras!

Comme la plupart d'entre nous qui font le même geste, il était plutôt rare que ma fille ne finisse pas par manger quelque chose alors que, dans les faits, elle n'avait pas véritablement faim. Ce n'est effectivement pas parce que nous avons faim que nous agissons ainsi, mais bien par ennui. J'ai pensé, un moment, faire une photographie de l'intérieur du réfrigérateur et l'afficher sur la porte... Ainsi, elle n'aurait pas perdu de temps, chaque jour, à en ouvrir la porte et à la laisser inutilement ouverte!

J'ai connu des gens qui étaient de bons vivants, qui s'amusaient ferme avec des collègues, mais, dès qu'ils mettaient les pieds chez eux, ils s'ennuyaient à mourir et cherchaient toujours un prétexte pour mettre le nez dehors. Ces personnes habitaient seules, s'ennuyaient et recherchaient la compagnie des autres. «Quand j'entrais à la maison, à moins que je n'aie quelque chose de bien précis à faire, j'avais toujours le réflexe d'ouvrir le frigo. Puis, si je ne trouvais rien pour me contenter, il m'arrivait fréquemment de décider d'aller manger au restaurant, simplement parce que je n'avais pas envie d'être seul à la maison», raconte Denis.

De fait, il est vrai que lorsqu'on ne se sent pas bien chez soi, on a évidemment tendance à privilégier la fuite plutôt que de se mettre à la tâche pour qu'il en soit différemment. On n'aime pas notre décor, on se sent mal. Mais il est aussi fréquent que sans aucune raison précise, notre premier réflexe, lorsqu'on entre dans la maison, soit d'ouvrir la porte du réfrigérateur et, aussi, d'allumer le téléviseur. Des habitudes solidement ancrées dans notre quotidien, un comportement répété à des centaines et à des milliers de reprises.

Ce sont là des comportements qu'il faut tenter de modifier afin de prendre des habitudes saines de vie. Il n'est pas normal, lorsqu'on s'ennuie, de compenser en mangeant. Il me semble que la normalité voudrait qu'on tente de mettre le doigt sur le «bobo», qu'on en arrive à déterminer pour quelles raisons on s'ennuie, puis de passer aux actes afin de régler la situation.

Votre décor vous déprime? Sortez vos pinceaux et mettez-vous au travail! Vous pouvez aussi changer les meubles de place, vous aménager un coin de repos ou de lecture, faire quelques achats qui vous remonteront le moral et qui sauront embellir votre environnement.

Vous détestez vivre seule? Alors là, il vous faut prendre une décision importante: seriez-vous plus heureuse si vous habitiez avec quelqu'un? Serait-il envisageable d'habiter avec une amie, vous trouver une colocataire, un parent pour partager votre logis? À vous de trouver les solutions et à vous, surtout, de déterminer les sources de cet ennui.

L'INSATISFACTION: UNE ÉNERGIE NÉGATIVE

«Moi, ce n'est pas compliqué, c'est toute ma vie que je trouve ennuyante!» Cette phrase, je l'ai entendue et vous l'avez sûrement entendue à plusieurs reprises. Peut-être même vous est-il malheureusement arrivé de la dire? Oui? Récemment? Alors là, ce n'est plus seulement de l'ennui, c'est de l'insatisfaction profonde qui mine votre moral, qui vous pousse sans doute à «manger vos émotions». L'insatisfaction peut se situer à plusieurs niveaux; vous pouvez être insatisfaite de votre travail, de votre vie amoureuse, de votre situation sociale, de vos amis, de vos loisirs, de votre situation financière. Vous pouvez aussi carrément être insatisfaite de vous, de ce que vous êtes, de votre allure en général.

Si vous êtes consciente de vos insatisfactions, c'est déjà un pas dans la bonne direction. S'il y en a trop, cela peut vous paraître énorme comme problème à résoudre mais justement, vous verrez un peu plus loin les trucs à utiliser afin de parvenir à régler les problèmes les uns après les autres. Pour l'instant, le plus important est de déterminer quelles sont les causes qui vous poussent à manger vos émotions et de vous convaincre que vous pouvez changer, que vous pouvez modifier votre comportement, si vous le désirez vraiment, afin d'être mieux dans votre peau.

Il y a des choses, bien sûr, qui prennent un certain temps à modifier. On ne réussit pas à changer sa situation sociale du jour au lendemain, évidemment. Par contre, si, comme moi, il vous arrive de vous trouver moche, de vous répéter que vous étiez beaucoup plus mignonne l'été dernier et, surtout, plus mince, voilà une situation à laquelle vous pouvez vous attaquer sans tarder et qui risque de changer à court terme.

Je me souviens avoir ragé en tentant de me glisser dans un pantalon et d'y parvenir de peine et de misère — il m'est aussi arrivé d'abandonner de guerre lasse, constatant bien que c'était impossible... —, et de m'être dit que ça n'avait plus de bon sens, que j'étais rendue énorme, que tout le monde autour de moi avait sûrement remarqué que j'avais pris du poids. Je peux vous dire que cette constatation fait mal à l'ego et qu'habituellement, la gêne, le dégoût et la colère qu'on ressent sont des facteurs qui nous incitent à suivre un régime. Quand on repense à ce matin où l'on se tortillait sur le lit à tenter d'attacher ce pantalon, c'est drôle comment on en arrive à voir d'un autre œil le chocolat, les croustilles et tous ces autres aliments qui nous font gagner du poids en un rien de temps!

Pour plusieurs d'entre nous, même si nous pouvons avoir des insatisfactions personnelles ou professionnelles, entre autres, il demeure que l'une des causes majeures de stress et de tension est sans aucun doute notre vie amoureuse. Nous en traiterons d'ailleurs dans le chapitre 2.

LE SPM, UN FACTEUR À NE PAS NÉGLIGER

Le SPM, le syndrome prémenstruel, peut également affecter bon nombre de femmes. Une ou deux journées avant le déclenchement des règles, parfois plus pour certaines, il est fréquent d'avoir les émotions à fleur de peau, d'avoir parfois envie de verser des larmes, et ce, sans même savoir exactement pour quelle raison précise. On a des problèmes, des frustrations? À la veille de nos règles, tout peut nous paraître insurmontable, une montagne. À mon avis, ce n'est certes pas le moment, si vos règles vous affectent considérablement, de prendre des décisions sur des coups de tête.

Si, en plus, vous êtes aux prises avec un conjoint qui se demande bien ce qui vous prend (heureusement, ce n'est pas mon cas!) et ce que vous avez à être nerveuse et sensible comme ça, parce qu'il ne sait évidemment pas dans quel état d'esprit vous vous trouvez, vous avez le portrait d'une situation encore plus pénible à supporter. Si tel est votre cas, prenez le temps de discuter avec lui, de lui expliquer comment vous vous sentez et, s'il est le moindrement intelligent, il se montrera compréhensif. Chose certaine, si on a déjà tendance à manger ses émotions, ces périodes peuvent assurément être plus difficiles pour plusieurs femmes.

LE TRAVAIL À LA MAISON

Au Québec comme ailleurs en Amérique, le monde du travail a beaucoup changé au cours des dernières années. De plus en plus de travailleurs autonomes ont fait leur apparition et de plus en plus de gens travaillent désormais à la maison. Il est clair que le fait de demeurer à la maison, même si c'est pour y travailler, peut contribuer à nous inciter à manger plus fréquemment que si nous devions nous rendre à un bureau. Un sondage réalisé en 1996 par le magazine américain *Income Opportunities* nous apprenait que le tiers des travailleurs autonomes avouaient que leur poids avait augmenté depuis que la maison était devenue leur lieu de travail principal. Les statistiques ne mentent pas et il n'y a pas à douter que le phénomène soit en progression depuis 1996. À vous de vous discipliner, d'agir en conséquence et de vous rendre compte que ces habitudes développées depuis que votre environnement de travail a changé ne peuvent être que néfastes.

Imaginez la scène: assis devant le bureau, l'ordinateur devant les yeux, voilà qu'on manque d'inspiration ou que la tâche que l'on a à accomplir s'avère lourde. Allez, hop! c'est le moment tout indiqué de prendre un moment de répit, une pause de quelques minutes! Et que fait-on, pensez-vous, durant cette pause? Toujours le même réflexe: on ouvre la porte du réfrigérateur ou du garde-manger, en se demandant ce qui ferait plaisir à nos papilles gustatives...

Pour toutes celles et tous ceux qui travaillent à la maison, le danger d'aller fouiller dans le réfrigérateur ou dans le garde-manger est omniprésent et constitue une tentation à laquelle il est facile de succomber. Si tel est votre cas, vous devez en venir à agir tout comme si vous étiez dans un bureau. Fixez-vous des objectifs, des heures de travail immuables et contentez-vous de manger seulement aux repas. Lorsque l'envie deviendra trop présente dans votre cerveau, que vous aurez tellement faim que vous penserez être plus performante si vous réglez ce «petit creux» qui vous tenaille, ce sera le moment d'utiliser des trucs pour éviter de succomber.

Le travail à la maison n'est, en fait, rien de nouveau: pensons à nos mères, ces travailleuses autonomes qui passaient leurs grandes journées à la maison à effectuer les tâches ménagères, à prendre soin de nous de tout leur cœur et qui ont été si souvent décriées. Est-ce parce que les hommes travaillent maintenant à la maison que les termes ont changé?

Quelle est, soudainement, l'importance qu'on attache maintenant à ce type de travailleur? On se penche ici sur le problème d'accès à la nourriture pour ces nouveaux travailleurs à la maison, mais nos mères, elles, étaient-elles si occupées pour ne pas avoir à se soucier de manger leurs émotions? Ont-elles eu, avant nous, à combattre ces impulsions à se jeter sur le frigo ou le garde-manger? Probablement autant que nous, elles ont été confrontées à ces élans de bouffe. Surtout qu'à l'époque, les repas étaient plus copieux.

Je me rappelle que, durant toute ma période d'études primaires, j'allais manger à la maison tous les midis. Ma mère faisait le dîner pour ma petite sœur, mon frère et moi. Quant au souper, il était toujours prêt à la même heure et... délicieux! Elle en a passé des heures devant ses fourneaux et je ne doute pas que le combat devait être encore plus ardu pour elle. C'est pourquoi il faut se discipliner au travail, organiser son temps en conséquence et faire des activités qui nous permettront de nous évader ailleurs que vers la cuisine.

Attention, il ne faut pas cacher des chocolats dans la lingerie ou sous une tablette de la bibliothèque! Pour moi, c'était plutôt dans la garde-robe, dans une poche de vêtement que je ne portais pas souvent. Voilà, je n'ai plus de cachette pour personne. Je serai dès maintenant surveillée à la loupe. Mes alliés m'auront à l'œil et, pour tout dire, je leur en suis bien reconnaissante.

IL N'Y A PAS QUE LA BOUFFE...

Si certains mangent leurs émotions en choisissant la nourriture, d'autres ont des moyens bien différents de pallier ces sautes d'humeur émotives. Claudine, une compagne de travail, était une personne nerveuse. Plutôt chétive, elle bougeait et parlait sans arrêt. Lorsque surgissait un pépin quelconque ou encore lorsqu'elle nous parlait de ses problèmes de couple, elle ne pouvait s'empêcher de fumer cigarette après cigarette. Il m'est arrivé de la voir en une occasion déposer avec rage le combiné du téléphone à la suite d'une conversation avec son mari et se jeter sur son paquet de cigarettes comme si sa vie en dépendait. Elle avait allumé sa cigarette, les doigts un peu tremblants, et après avoir inhalé la fumée, elle avait semblé avoir soudainement retrouvé tout son aplomb et était redevenue visiblement plus calme. Claudine devait bien fumer tout près de deux paquets de cigarettes chaque jour. Elle aurait bien voulu arrêter, mais la raison pour laquelle Claudine fumait venait du fait que son mari, pour tout dire, avait un caractère de chien! Alors, elle fumait, à cause de son mari.

Quelles sont celles qui se trouvent de bonnes raisons de manger leurs émotions comme Claudine? Jamais de ma faute! Je peux très bien comprendre qu'on ait à compenser pour un manque de compréhension, d'amour ou de respect de la part des gens qui nous entourent, mais il faut trouver un palliatif qui nous aide, qui nous fasse grandir et non pas qui nous détruise. Claudine mettait la faute sur son mari mais, à partir du moment où elle aurait pu se dire que c'était plutôt l'effet que son mari avait sur elle qu'elle n'arrivait pas à contrôler, elle aurait gagné un point. Elle aurait eu le contrôle sur son attitude et, par le fait même, sur l'attitude de son mari. Elle aurait certes eu besoin de lui pour arrêter de fumer comme elle le désirait depuis plusieurs années, mais il aurait fallu pour cela qu'il puisse comprendre ce qu'elle ressentait pour pouvoir l'accompagner dans cette démarche.

On partage d'une certaine façon un peu de responsabilité avec les autres, particulièrement avec notre conjoint, et il est bon de constater que l'on peut arriver, avec le temps, à développer une complicité qui est malheureusement trop peu fréquente de nos jours chez les couples.

LE MAGASINAGE COMPULSIF

Pour certaines autres, manger ses émotions peut se traduire par une rage de magasinage compulsif. Sous le coup de l'émotion, on se précipite dans une boutique ou dans un grand magasin pour faire des emplettes. Pas d'argent? Pas de problème, la carte de crédit servira à satisfaire cette envie soudaine de revenir à la maison les bras chargés de paquets. Une amie d'un copain a développé cette habitude.

Elle n'a jamais été du genre à trouver de la satisfaction dans la nourriture. Pour elle, sitôt qu'il y a quelque chose qui cloche dans sa vie — et à une certaine époque elle n'en menait pas large à la suite d'une rupture —, sa façon de se calmer est d'aller magasiner. Je sais qu'il lui est même arrivé d'emprunter de l'argent pour satisfaire son besoin. Pour elle, c'est devenu un besoin impératif, il ne se passe pas une semaine sans qu'elle fasse des achats; ça peut aller d'un bijou à un chandail ou simplement des trucs pour la maison. Tous les jeudis soir, après sa journée de travail, c'est l'heure de dépenser!

Lorsque je lui ai fait remarquer, il n'y a pas très longtemps, qu'elle mangeait ses émotions de cette façon, elle m'a simplement répondu qu'elle n'était pas malheureuse, que tout était au beau fixe dans sa vie, je le savais bien, mais que cette soirée de magasinage hebdomadaire lui était devenue essentielle et que personne ne pourrait la priver de son plaisir. Ne comptez pas sur moi pour porter un jugement sur l'attitude de cette femme, mais j'imagine qu'elle devra bien un jour apprendre à contrôler ses pulsions. Ou bien ce sera son gérant de banque qui finira par la mettre au régime...

MES ÉMOTIONS M'ONT COUPÉ L'APPÉTIT

Sûrement avez-vous déjà aussi connu des gens qui, aux prises avec leurs émotions, perdent carrément l'appétit. En réaction à une situation, ils se transforment soudainement en personnes anorexiques. À la suite d'un coup dur, de la perte d'un être cher, d'une peine d'amour, de problèmes majeurs, elles ne peuvent plus avaler quoi que ce soit, la nourriture leur reste sur le bout des lèvres. Ça peut aller de quelques heures à quelques jours, voire des semaines. On a alors l'impression que ces individus ne prendront plus jamais un autre repas! D'un extrême à l'autre.

Une amie m'a rapporté cette histoire vécue par une femme prénommée Claire et sa fille Hélène, âgée de 17 ans. «Ma fille avait un copain depuis six mois et elle flottait littéralement sur un nuage: elle était amoureuse comme jamais elle ne l'avait été. Charles était l'homme de sa vie, il n'y avait pas à en douter. Puis, un soir, Hélène est revenue à la maison et est entrée sans me saluer, contrairement à son habitude. Elle s'est aussitôt réfugiée dans sa chambre, sans dire un mot. Par sa façon d'agir, je me suis bien doutée qu'il y avait quelque chose qui clochait. Je l'ai trouvée couchée sur son lit, en pleurs, et elle m'a dit que son copain lui avait avoué l'avoir trompée. Il avait décidé de la laisser tomber pour cette fille dont il était éperdument amoureux.»

Pendant une semaine, Hélène a été incapable de manger, ce qui commençait sérieusement à inquiéter Claire. On lui disait de ne pas s'en faire, qu'Hélène finirait bien par se remettre à manger. «J'essayais de lui faire entendre raison, raconte Claire, je lui préparais des mets qu'elle avait l'habitude de dévorer, mais il n'y avait rien à faire. Elle s'assoyait à la table avec moi, mais elle ne touchait pratiquement pas à son assiette, se contentant de jouer durant de longues minutes avec sa nourriture à l'aide de sa fourchette. C'est tout juste si elle prenait une ou deux bouchées. Elle semblait souvent songeuse, dans la lune, et je voyais bien qu'elle avait presque toujours les larmes aux yeux. Elle se levait alors de table et se retirait au salon ou dans sa chambre. J'essayais de lui parler, de lui dire qu'elle avait toute la vie devant elle, qu'elle était jolie et intelligente et que bien d'autres garçons s'intéresseraient à elle, mais il me semblait que je m'adressais à un mur. Hélène me répétait sans arrêt qu'elle n'avait pas faim. "J'ai trop de peine pour manger, je ne suis pas capable d'avaler quoi que ce soit", disait-elle.

«Ce n'est que près d'une semaine plus tard qu'elle a recommencé tout doucement à manger. L'élément déclencheur a été l'après-midi qu'elle a passé à discuter, à jouer à des jeux vidéo et à rire avec sa meilleure amie. Il m'a semblé que c'était la première fois depuis sa rupture qu'Hélène avait retrouvé ses yeux rieurs. Sa copine avait su trouver les mots pour qu'elle dédramatise sa rupture et qu'elle réussisse à tourner la page. Il était temps qu'elle recommence à se nourrir parce que j'étais à ce point inquiète que je m'apprêtais à consulter un psychologue pour qu'il voie ma fille.»

Quelle expérience traumatisante! Comme quoi nos émotions peuvent grandement affecter notre comportement et notre jugement.

Nathalie, une amie de mon mari, a aussi vécu une expérience semblable et a accepté de me raconter ce qui lui est arrivé. «Guy m'avait laissée et j'étais tellement déboussolée que j'étais dégoûtée de la vie, plus rien ne semblait m'atteindre. J'étais devenue indifférente. Mon dégoût pour la vie était devenu un dégoût de la nourriture. Alors, je ne mangeais plus, ou presque pas. Pour survivre — je savais que si je ne mangeais pas du tout, j'allais avoir de gros problèmes —, je prenais un bol de céréales le soir, pas davantage, avant de me coucher. En moins de deux mois, j'avais perdu un peu plus de dix kilos et je savais bien que je ne pouvais plus continuer comme ça. Je suis allée en psychothérapie, mais dans mon cas, ce n'était pas concluant. Puis, j'ai vu un psychiatre qui m'a prescrit un traitement bien suivi qui a eu la propriété de me redonner de l'appétit. Tout doucement, j'ai recommencé à manger et j'ai réussi à reprendre le dessus, tout en faisant le deuil de ma relation avec Guy.»

Si vous êtes aux prises avec des problèmes aussi majeurs, je vous suggère de consulter rapidement des spécialistes, à commencer par votre médecin, qui sauront vous aider à trouver des solutions afin de ne pas vous enliser davantage.

ET LES HOMMES?

On parle beaucoup des femmes qui mangent leurs émotions, mais je ne crois pas qu'on puisse affirmer que les hommes sont à l'abri de ce phénomène. La nourriture peut constituer une façon pour eux de se contenter, mais je dirais plutôt, selon ce que j'en sais, qu'ils ont des façons différentes de réagir. J'ai connu un garçon qui, dès qu'il était anxieux, particulièrement lorsque venait le temps d'aller draguer, devait s'envoyer une ou deux bières derrière la cravate pour se calmer et pour acquérir un peu plus de confiance en lui. L'alcool, il n'y a pas à en douter, représente pour bien des gens, particulièrement pour les hommes, une façon de devenir *cool* et de se donner de la contenance.

On boit par plaisir, bien sûr, mais aussi par ennui, pour s'insuffler une dose de confiance et aussi pour se calmer, pour décompresser. Ma copine Andrée me racontait: «Ce n'est plus le cas aujourd'hui, mais mon mari a eu l'habitude, durant un certain temps, alors qu'il était surchargé de travail, de prendre une ou deux bières en arrivant à la maison. Vite! Ça lui prenait sa bière en entrant. Il enlevait ses chaussures, s'écrasait dans son fauteuil du salon, puis nous discutions de notre journée. C'était pour lui une façon de chasser la tension, ça le calmait, disait-il. Puis, presque du jour au lendemain, cette habitude est disparue au moment où il a été un peu moins surchargé au travail et qu'il a recommencé à retirer, comme avant, du plaisir à occuper son emploi. Peut-être aussi que mon commentaire sur le fait qu'il allait bientôt commencer à afficher une "bedaine de bière" l'a fait réfléchir! En fin de compte, nous avons tous deux compris que ses petites bières de fin de journée n'étaient pas le fruit du hasard.»

L'alcool peut aussi évidemment devenir une source de contentement pour les femmes nerveuses, anxieuses et stressées. Les raisons qui peuvent les pousser à boire sont sensiblement les mêmes que pour la nourriture, et elles en aiment le goût. Chacune a sa façon bien à elle de se calmer, de pallier des lacunes, mais avoir recours à l'alcool, au tabac ou à la drogue, entre autres, est à éviter et peut même être dommageable dans certains cas. C'est pourquoi il faut s'efforcer de tenter de contrôler ses émotions et de trouver d'autres façons, plus saines et moins nocives, lorsqu'on ressent le besoin de se satisfaire.

HORS DE MON CHEMIN!

Si certains vont trouver refuge dans la drogue ou les médicaments, vous connaissez sûrement, dans votre entourage, une personne, plus souvent qu'autrement un homme, qui, pour se défouler, pour chasser la tension nerveuse et pour évacuer le stress, se défoule au volant de son automobile. Ah! mon Dieu: vous venez de mettre un nom sur l'individu en question!

Ces «Rambo de la route» sortent de leur bureau, s'installent derrière leur volant pour prendre la route et deviennent, du coup, des êtres agressifs, prêts à exécuter des manœuvres plus dangereuses les unes que les autres afin de se frayer un chemin parmi le lot d'automobiles. Quelques-uns sont déjà de nature agressive et ont bien de la difficulté à se contrôler, alors que d'autres, pourtant si calmes, deviennent eux aussi de véritables casse-cou. Quelle folie! Le pire, c'est que de récentes études démontrent clairement qu'avec l'augmentation des véhicules sur les axes routiers, l'agressivité chez les conducteurs est en pleine croissance. Certains sont même armés, prêts à descendre de leur véhicule pour vous sauter dessus et exprimer leur colère!

Aux prises avec diverses pensées qui font en sorte que leur niveau de stress est au maximum, frustrés pour une ou plusieurs raisons, ces automobilistes s'engagent sur la route et se conduisent exactement comme si elle leur appartenait. Si, par malheur, l'un d'entre eux est victime d'un geste dangereux d'un autre automobiliste, ou simplement si un autre conducteur omet d'indiquer son intention de tourner à droite ou à gauche, ou encore s'il doit freiner brusquement parce qu'un piéton s'avance dans la rue, la colère monte d'un cran et on ose à peine imaginer jusqu'à quel point ces fous du volant peuvent devenir dangereux. Dans leur automobile, leur quartier général, ils se sentent bien souvent rois et maîtres, et gare à quiconque viendrait les provoquer. C'est fou, mais c'est ainsi que se sentent de nombreux automobilistes!

D'ailleurs, il faut dire qu'il est parfois bien difficile de conserver son calme sur la route lorsqu'on a autour de soi des gens qui conduisent mal et qui prennent des risques. Moi la première, je vous avouerai qu'il m'arrive de rager lorsque je vois un automobiliste qui conduit un pied sur l'accélérateur et l'autre sur le frein et qu'il a en plus un cellulaire à la main! C'est à se demander, justement, ce que ces conducteurs ont entre les deux oreilles pour se comporter ainsi, pour prendre des risques inutilement et risquer de causer un accident ou d'en être victime parce que leur attention n'est pas entièrement portée sur ce qui se passe autour d'eux.

Claude est l'un de ces automobilistes qui, à l'occasion, peut devenir dangereux sur la route parce qu'il évacue son stress en conduisant. «Je l'avoue, si j'ai eu une dure journée, qu'un événement négatif s'est produit ou qu'une ou plusieurs choses me tracassent au plus haut point, je me dis, inconsciemment: "Au moins, je ne laisserai personne venir m'embêter sur la route et me retarder!" Quand je suis au volant, j'ai, la plupart du temps, le doigt à proximité du klaxon, prêt à signifier ma façon de penser à tout automobiliste qui ne se conduit pas à mon goût. C'est bien simple, parfois, je me sens comme si j'étais un policier et que je me devais de signaler aux automobilistes qu'ils ont agi dangereusement! En une occasion, l'homme qui était dans le véhicule en avant de moi n'a pas prisé que j'utilise mon klaxon pour lui demander d'aller plus vite, et il est descendu de son automobile pour venir me faire un mauvais parti... J'ai alors compris que j'étais allé trop loin et, étant plutôt du genre grand parleur, petit faiseur, j'ai rapidement décampé.

«Je sais bien que c'est fou, mais lorsque l'occasion se présente de faire savoir ma façon de penser à un

autre automobiliste, ça me procure beaucoup de satisfaction. Même chose lorsque je réussis à doubler un
autre automobiliste qui n'allait pas assez vite à mon
goût. Je sais bien que ça peut devenir un jeu dangereux
et j'essaie de me contrôler, mais ce n'est pas toujours
facile. Les frustrations accumulées, les problèmes au
travail, tout peut devenir prétexte à me défouler au
volant. Lorsque je suis coincé dans un embouteillage,
ce qui est souvent mon lot, inutile de préciser que je
rage encore plus, que je deviens encore plus impa-
tient.»

Comme de plus en plus de gens habitent la banlieue, il va sans dire que les heures passées sur la route
suffisent pour impatienter n'importe qui! Parfois, sans
avoir de tracas particulier, on se sent impuissant
devant cette situation. L'automobile est bien souvent
utile à la ville, mais on doit aussi se demander si le train
de banlieue ne ferait pas l'affaire ou si nous ne pourrions pas avoir recours au covoiturage avec un confrère
ou une consœur. Les longues minutes passées dans la
circulation seraient alors peut-être plus faciles à accepter.

«Parfois, en "surfant" d'une station radiophonique
à une autre ou en écoutant de la musique, en chantant
une chanson que j'aime bien, je parviens à chasser
cette tension et à me calmer, poursuit Claude. Mais il
suffit qu'un autre automobiliste effectue une ma-
nœuvre que je n'apprécie pas pour que je sente mon
sang bouillir dans mes veines et la frustration m'enva-

hir de nouveau», raconte cet automobiliste avec qui, fort heureusement — et il rit de ma remarque —, je n'ai jamais eu l'occasion de voyager. Certes, ce témoignage est révélateur de la part de cet ami qui, malheureusement, connaît d'autres personnes dans son entourage qui ont tendance à faire preuve d'agressivité lorsqu'elles sont au volant.

Si vous connaissez une personne de ce genre ou si votre conjoint s'impatiente assez facilement lorsqu'il est au volant, ne craignez pas de lui dire que cela vous déplaît et que vous avez même peur de ce qui pourrait survenir. Ou encore, refusez tout bonnement de monter dans le véhicule la prochaine fois, en lui rappelant son comportement. Tout le monde sait qu'il suffit parfois d'un seul geste d'impatience pour causer un terrible accident.

LA VIOLENCE PHYSIQUE ET VERBALE

L'agressivité au volant est une chose, l'agressivité avec le conjoint en est une autre. Heureusement, je ne me suis jamais trouvée dans une situation au cours de laquelle j'aurais pu être victime de violence physique. Par contre, la violence verbale, celle qui peut parfois faire encore plus mal et être encore plus sournoise que la violence physique, je l'ai connue. Cela peut évidemment nous pousser à manger nos émotions, alors que pour celui qui manifeste verbalement sa colère et ses frustrations, c'est aussi une façon de se défouler et, à sa façon à lui, de manger ses émotions d'une bien triste façon.

J'ai été aux prises, à une certaine époque, avec un conjoint qui savait utiliser les mots qui blessent, ceux qui retentissent, qui vous frappent de plein fouet et qui vous laissent dans un état lamentable. Parce qu'il était frustré, que ses affaires ne roulaient pas à son goût ou simplement parce qu'il était de mauvais poil et que la chose la plus facile pour lui était d'asperger les gens autour de lui de mots pour faire mal, il s'en donnait à cœur joie. On a beau tenter de comprendre ce qui peut les pousser à agir ainsi, on a beau tenter de leur expliquer à quel point ils nous font mal avec leurs mots, le résultat est le même: on se retrouve en larmes ou en colère, et on cherche un moyen de passer sa tristesse ou sa rage. Allez, hop! c'est souvent encore et toujours la nourriture et les gâteries qui viennent à notre secours!

À la suite d'une joute verbale au cours de laquelle on sort rarement gagnante, notre confiance en soi est généralement à zéro. On se demande ce qu'on a fait pour mériter pareille colère et on se dit que plus le temps va passer, plus cet «abuseur verbal» va finir par nous détruire à petit feu si on ne trouve pas une solution. Le danger est d'autant plus présent lorsque nos enfants sont en cause.

Répliquer à ce genre de violence jusqu'à ce qu'il y ait escalade à n'en plus finir n'a jamais été la solution que j'ai privilégiée. Il suffit, vous le savez, de bien peu de mots pour nous faire douter de soi, pour nous faire perdre cette confiance souvent si fragile. J'ai moi-même été démolie par des avalanches de mots; j'ai vu aussi autour de moi d'autres femmes souffrir avec des hommes qui ne mâchaient pas leurs mots, c'est le cas de le dire...

Si on ose tenir tête à un conjoint violent, personne ne peut prévoir si ce dernier, surpris et, surtout, encore plus en colère qu'on ose lui répliquer n'ira pas jusqu'à nous frapper. Malheureusement, la violence entre conjoints est beaucoup plus répandue qu'on peut être porté à le croire. Nous pourrions parfois être surprise de constater ce qui se passe chez nos voisins. Les femmes victimes de violence physique n'affichent pas nécessairement des ecchymoses en plein visage. Et celles qui sont victimes de violence verbale sont souvent encore plus difficiles à déceler. Elles doivent être conscientes de leur situation et, surtout, effectuer les démarches pour aller chercher de l'aide afin de pouvoir s'en sortir.

Moi, j'ai eu la chance d'être bien entourée de ma famille et de mes amis. Au fil des années, j'ai acquis une confiance que je n'avais jamais eue auparavant et, depuis plus de deux ans, je vis un bonheur quotidien avec mon mari. Je vous souhaite, du fond du cœur, que cela vous arrive à vous aussi!

UN TÉMOIGNAGE ÉLOQUENT

J'ai connu des femmes aux prises avec des conjoints qui avaient le don de se défouler sur elles et qui leur faisaient porter tous les maux de la terre. Souvent, c'était à la fois de la violence verbale et de la violence physique. Maryse, qui a habité durant un certain temps avec un homme qui était tout un numéro, raconte: «Juste à voir l'air qu'il affichait lorsqu'il entrait à la maison, je savais si ça allait ou pas. Lorsqu'il me semblait de mauvais poil ou que j'étais moi-même d'humeur maussade, il nous fallait tous deux marcher sur des œufs parce que nous savions qu'il suffisait d'une étincelle pour mettre le feu aux poudres. Parfois, j'essayais d'utiliser plusieurs astuces — par exemple, lui donner de l'affection — afin de tenter de lui faire retrouver sa bonne humeur, le calmer et, surtout, lui faire comprendre qu'il n'avait pas à s'en prendre à moi et qu'il devait décompresser.

«Quelquefois, ça fonctionnait, mais, en certaines occasions, il profitait de sa frustration du moment pour remettre sur le tapis un sujet litigieux entre nous et là, ça bardait! Et je ne te raconte pas ces journées où il arrivait à la maison un peu éméché après être arrêté prendre quelques verres avec un de ses copains. Plutôt que de le rendre *cool*, l'alcool contribuait, à l'occasion, à faire grandir sa colère et sa frustration. Cette histoire ne pouvait durer très longtemps, je n'en pouvais plus d'être à la merci d'un homme qui devenait violent à la moindre embûche.»

La violence qui nous est faite, sous toutes ses formes, est généralement un sujet qu'on n'ose pas aborder avec nos proches, avec nos amis, souvent par peur d'être jugée. Cette amie, qui a accepté de me raconter son histoire à la condition que j'utilise un autre prénom, comme cela a été le cas pour plusieurs autres témoignages que l'on trouve dans ce livre, a mis du temps à se rendre compte à quel point l'homme qui partageait sa vie pouvait être violent. Qui plus est, le comportement de son compagnon l'incitait même, par moments, par frustration et par dépit, à manger ses émotions. «En une occasion, il m'avait serré le bras avec un peu d'insistance, au point où j'avais dû lui dire de me laisser, qu'il me faisait mal. Il ne semblait pas s'en apercevoir et il s'était confondu en excuses, me couvrant de baisers. Mais un soir, alors qu'il était de très mauvaise humeur parce qu'il s'était querellé avec son frère, j'ai tenté de le calmer et comme j'avais voulu le prendre dans mes bras, il m'avait lancé avec colère: "Lâche-moi!" et m'avait repoussée avec passablement de force, assez pour me faire reculer et frapper le réfrigérateur. Je ne te mens pas, j'avais peur de lui, je n'osais plus l'approcher!»

Heureusement, ce ne sont pas tous les hommes qui font preuve de violence lorsqu'ils sont angoissés, stressés ou en colère. Bien sûr, il y en a qui, comme bien des femmes, vont trouver satisfaction dans la nourriture, mais certains manifesteront leurs émotions de différentes autres façons, pas toujours très élégantes. D'autres, par exemple, vont se ronger les ongles sans arrêt lorsqu'ils sont stressés!

Je dois faire ici une parenthèse et faire un aveu: ça a été mon cas durant de nombreuses années, ce n'est que depuis environ deux ans que j'ai perdu cette habitude. Auparavant, à la moindre tension, s'il y avait quelque élément de stress dans ma vie ou si je vivais des périodes d'ennui, j'avais tendance à porter mes ongles à ma bouche, sans même m'en rendre compte!

Revenons aux hommes. Sous tension, des hommes vont développer des tics ou encore, plus fréquemment, s'enfermer dans un mutisme qui a le don de nous tomber sur les nerfs. Ceux-là semblent perdre complètement la parole et devenir muets. Habituellement, ils sont du genre à vouloir attirer l'attention, à tout mettre en œuvre pour qu'on s'intéresse à eux. Ils jouent souvent les victimes et attendent que leur compagne mène un véritable interrogatoire, avec beaucoup de calme et de doigté, pour enfin s'ouvrir et étaler leur état d'âme. Certaines ont la patience, d'autres pas, mais ce n'est pas une mince tâche de leur faire retrouver l'usage de la parole.

Comme on le constate, qu'il s'agisse de femmes ou d'hommes, les façons de manger ses émotions sont nombreuses. Que ce soit la nourriture, le tabac, l'alcool, les drogues, ou qu'on devienne des êtres au caractère exécrable, nous utilisons des accessoires ou avons des comportements qui sont des réflexes ou, du moins, des moyens qui nous semblent efficaces pour nous permettre de nous calmer. Rien de plus normal que de réagir à l'appel pressant de notre cerveau qui, aux prises avec diverses émotions, nous incite à nous comporter d'une certaine manière. Mais si l'on tient pour acquis que nos comportements ne peuvent être modifiés, tout est fichu d'avance. Si j'avais pensé ainsi, j'aurais sûrement lancé la serviette depuis longtemps et je continuerais aujourd'hui à me ronger les ongles régulièrement (à moins qu'il ne m'en reste plus!) et à manger à la moindre occasion. Il vous faut donc croire dès maintenant que vous pouvez changer, que vous pouvez agir plutôt que de subir.

CHAPITRE 2
À la recherche de l'amour

L'amour occupe certes une place très importante dans notre vie. Une vie amoureuse tumultueuse et peu satisfaisante est souvent de nature à nous pousser vers les aliments en guise de compensation. Certaines cherchent l'amour et vont manger pour enrayer leur frustration, pour meubler leur solitude, alors que d'autres, peu satisfaites de la relation qu'elles ont avec leur conjoint, vont elles aussi passer leurs frustrations dans la nourriture. Décidément, on n'en sort pas!

De fait, l'amour n'est pas chose simple et, malheureusement, il nous arrive plus souvent qu'autrement d'avoir dans notre entourage des gens qui sont seuls, meurtris ou amers. Ils cherchent l'âme sœur depuis déjà un moment, sans trop y croire, conservant bien peu d'espoir de voir dans un avenir immédiat leur cœur s'affoler et battre à un rythme fou pour une autre personne. Durant un certain temps, on se dit que la chance va tourner, qu'un homme va nous tomber du ciel et qu'il correspondra tout à fait à ce que l'on souhaitait. Puis, le temps passe et on y croit de moins en moins; certaines vont même jusqu'à tenter de se convaincre qu'il en est mieux ainsi, à trouver des avantages à leur solitude qui, pourtant, les rend malheureuses.

Une liaison amoureuse excitante, une vie de couple satisfaisante, voire emballante, est évidemment de nature à changer toute notre vie, notre façon de voir les choses. Puisque la solitude est l'un des facteurs qui incite les femmes à manger leurs émotions, il va de soi que lorsqu'un partenaire fait son apparition dans notre vie, la dynamique n'est plus du tout la même. Du coup, on se dit qu'il faut surveiller notre alimentation, ne plus se gaver de ces sucreries ou autres aliments qu'on avait l'habitude de manger à n'importe quelle heure de la journée, sans trop savoir pourquoi. La vie nous semble plus belle, on a envie de magasiner, de se faire belle, de rire et de s'amuser, tout cela en souhaitant que le prince charmant qui a fait irruption dans notre vie ne se transforme pas du jour au lendemain en grenouille!

UN MANQUE D'AMOUR?

Bien sûr, une relation amoureuse peut être fort satisfaisante et constituer un élément majeur pour vous empêcher de manger vos émotions. Aimée et cajolée, il est probable que vous ne pensiez même plus à vos vieilles habitudes de grignotage. Si oui, vous n'aurez certes pas envie de gagner quelques kilos, à moins que ce ne soit le vœu le plus cher de votre partenaire, ce qui n'est pas très courant, avouez-le! Ce grand vide que vous ressentiez parce que vous aviez besoin d'amour, maintenant qu'un partenaire convenable s'est présenté et fait partie de votre vie, vous ne voyez sûrement plus les choses de la même manière.

Cela dit, l'amour ne se résume pas simplement à avoir une vie amoureuse qui nous comble. L'amour de nos proches, de nos parents, de nos amis, des gens que nous côtoyons sur une base quasi quotidienne, est également fort important. Lorsqu'on ne se sent pas aimée, lorsque personne dans notre entourage ne nous manifeste le moindre égard, qu'il n'y a pas une âme qui puisse nous dire qu'elle nous aime bien, il y a de quoi déprimer sérieusement! Il est amusant de constater l'effet qu'une remarque ou un commentaire peut avoir sur notre moral. Il suffit qu'une personne nous dise, tout bonnement comme ça, que ce chemisier nous va bien, que cette jupe nous amincit, pour mettre du soleil dans notre journée. Malheureusement, le contraire est également vrai. Un regard méprisant, une personne qui vous fait une remarque désobligeante ou un geste d'ignorance à votre égard, et ça y est, c'est bien assez pour que vous ressentiez une grande frustration... que vous passerez dans la nourriture.

L'amour que les parents portent à leurs enfants, les démonstrations d'affection, les baisers, les sourires, les encouragements, les «Bravo!», «Félicitations!», «Tu es formidable» ou tout simplement les «Je t'aime» n'ont peut-être pas été votre lot. Avec le temps, peut-être vous êtes-vous rendu compte que vous n'avez pas reçu, jeune, tout l'amour et toute l'affection auxquels vos proches ou votre meilleure amie a eu droit. Peut-être avez-vous tendance à reprocher à vos parents, à ceux qui vous entouraient, de ne pas vous avoir témoigné autant d'amour que vous l'auriez souhaité. Si tel est le cas et que cela est un problème, à votre avis, qui explique pourquoi aujourd'hui vous avez tendance à manger vos émotions, vous devez régler cette situation une fois pour toutes. Vous devez apprendre à faire la paix avec vous-même, à vous débarrasser de vos rancœurs, à tourner la page et, surtout, à pardonner aux personnes qui peuvent vous avoir blessée par leurs gestes ou par leurs silences. Je vous suggère d'ailleurs fortement de consulter si vous en ressentez le besoin, si vous croyez que le fait de voir un spécialiste vous aidera davantage à avoir les deux pieds solidement ancrés dans le présent et le regard tourné vers l'avenir plutôt qu'en direction du passé.

LES RUPTURES: DES SITUATIONS DIFFICILES À GÉRER

Alors que certaines femmes ont le bonheur d'avoir trouvé l'amour et vivent une stabilité émotionnelle sur le plan affectif, d'autres sont à la recherche de l'âme sœur, voguent d'une aventure à l'autre, chacune garnie de joies et de déceptions. «Je ne veux plus tomber amoureuse, ça fait trop mal lorsque ça se termine!» avait l'habitude de dire une copine qui avait été particulièrement éprouvée par des séparations cruelles. Alors qu'elle croyait que son bonheur avec son bel Italien allait perdurer des années et des années et qu'elle vivait en appartement avec cet homme depuis déjà près d'un an, Martine apprit de la bouche d'une collègue de travail de son don Juan qu'elle était une femme trompée. On efface tout et on recommence à zéro, non sans peine. Puis, quelques semaines plus tard, elle rencontra un homme fort gentil pour qui elle eut presque aussitôt le coup de foudre. Après deux semaines de fréquentations et de nuits très chaudes, elle se fit dire que, finalement, elle n'était pas tout à fait son genre. De quoi faire rager, non?

Les ruptures, les séparations et les divorces, on le sait, sont des événements qui remuent énormément d'émotions à l'intérieur de nous lorsque nous avons à les vivre. Selon des études, parmi toutes les choses qui peuvent survenir et qui représentent une source de stress intense, on compte d'abord le décès d'un enfant, puis celui de l'être aimé, suivi de près du choc engendré par un divorce ou une séparation. J'ai connu des femmes qui, anéanties à la suite d'une rupture imprévue, avaient trouvé une sécurité dans la nourriture. En peu de temps, elles étaient devenues méconnaissables et avaient gagné plusieurs kilos. Réaction normale pour plusieurs: on se sent rejetée, on a le sentiment d'avoir été trompée, utilisée, et on se console comme on le peut. Dans la plupart des cas, c'est la nourriture qui deviendra l'élément palliatif par excellence pour tenter de surmonter la peine engendrée par une rupture particulièrement difficile.

Si quelqu'un de votre entourage traverse une peine d'amour ou vit des moments difficiles avec son conjoint, et que vous savez fort bien qu'elle est du genre à manger ses émotions, n'hésitez pas à lui offrir de l'aide. Rappelez-lui surtout que vous êtes toujours là pour l'écouter et pour l'aider à surmonter son épreuve, qu'elle peut vous téléphoner ou venir vous voir lorsqu'elle en ressent le besoin. Quand on traverse des moments difficiles, il n'y a rien de plus rassurant que de savoir que l'on peut compter sur certaines personnes, ne serait-ce que pour nous écouter.

Si c'est vous qui traversez une mauvaise période sur le plan sentimental, que vous vous sentez comme une «vieille chaussette» jetée aux ordures, réfléchissez avant de vous laisser aller à la facilité et de développer une dépendance à la nourriture et aux sucreries. Ce ne serait en rien pour améliorer votre sort. Mettez une photo de votre «ex» sur un babillard et lancez-lui des dards, écrivez-lui de longues lettres dans lesquelles vous le traitez de tous les noms, allez voir cette amie dans votre entourage qui, sans trop savoir pourquoi, n'a jamais pu le blairer mais, de grâce, ne vous lancez pas dans la nourriture!

On le sait, les relations amoureuses sont complexes, remplies de rebondissements, avec leur lot de joies et de peines, ce qui peut nous amener souvent à devoir manger nos émotions.

VOTRE VIE SEXUELLE EST-ELLE SATISFAISANTE?

Parmi toutes les raisons qui peuvent nous inciter à devenir les meilleures amies de la boîte de biscuits ou du sac de croustilles, il faut parler de sexualité, plus particulièrement de la qualité de notre vie sexuelle. Lorsqu'on est célibataire et qu'on n'a pas d'homme à se mettre sous la dent, et qu'en plus nous vient une envie insoutenable de faire l'amour ou encore d'être confortablement appuyée sur une épaule, c'est souvent la bouffe qui va se charger de nous satisfaire. Sitôt la petite friandise ingurgitée, on aura réussi à se contenter... pour l'instant! Certaines s'empresseront d'ajouter qu'avec certains hommes, un sac de croustilles est plus satisfaisant qu'une relation sexuelle, mais ne généralisons pas.

Si vous êtes en couple, mariée et que votre vie sexuelle est morne, peu active ou carrément insatisfaisante, cela peut évidemment vous inciter à vous tourner vers la nourriture afin de trouver un réconfort. Il n'y a rien de plus frustrant que de demeurer sur son appétit alors que monsieur, lui, est presque déjà dans les bras de Morphée. Incapable de trouver le sommeil parce que nos sens sont encore trop éveillés (!), on peut alors avoir tendance à se lever et à aller fouiller dans le réfrigérateur afin de dénicher une gourmandise quelconque pour se calmer un peu.

Aux prises à une époque avec un amant peu performant et qui, en plus, était la plupart du temps passablement ivre, je peux certes avouer que monsieur, par ses performances en coup de vent, m'a plus d'une fois incitée à étaler ma frustration en mangeant mes émotions. Vous vous en doutez certainement, pour compléter le tableau, cette «bête de sexe» (!) imbibée d'alcool s'endormait généralement en un clin d'œil, me laissant sur mon appétit. Inutile de préciser que ce genre de situation a de quoi refroidir nos ardeurs.

D'autres femmes peuvent vivre avec un partenaire qui souffre d'éjaculation précoce, ce qui est tout de même assez courant et souvent bien frustrant. Peu importe votre situation, si votre vie sexuelle avec votre partenaire est devenue l'une des raisons pour lesquelles vous avez tendance à manger vos émotions parce que vous ressentez de la frustration, vous vous devez de faire connaître vos états d'âme à celui qui partage votre lit. Avec un peu de communication et de compréhension, la situation risque sûrement de s'améliorer, à condition toutefois que votre partenaire ne soit pas uniquement concerné par son plaisir.

Comme plusieurs, j'ai souvent entendu la réplique: «Manger du chocolat, ça remplace l'amour», et, croyez-le ou non, je me la suis dite bien des fois à une certaine époque. Mon Dieu! Quand nous sommes seule et que nous sommes encore à la recherche de l'être aimé, ou que notre vie sexuelle est pratiquement inexistante, on se lance sur la boîte de chocolats, tout cela en se donnant bonne conscience pour passer au travers. On a l'impression de se fier à des données scientifiques qui rendent tout à fait normale notre propension pour le chocolat. On devient en soi victime de notre métabolisme en se disant: «La glande hypophyse me contrôle, ce n'est pas de ma faute si je dois compenser par la gourmandise, c'est une question d'hormones.» Encore là, il faut cesser de fuir, de se «raconter des peurs», et mettre enfin le doigt sur les véritables causes de notre comportement. Le chocolat remplace l'amour? Je n'y crois plus depuis longtemps, particulièrement ce soir où j'ai pris conscience que la boîte de chocolats que j'avais sur les genoux devenait de plus en plus légère... à mesure que je devenais de plus en plus lourde!

CHAPITRE 3

Les émotions et la bouffe: une question d'éducation

Nos émotions nous jouent souvent des tours. Vous êtes embarrassée lorsqu'on vous fait un compliment ou lorsqu'on vous réprimande? On ne manquera pas de le remarquer, puisque vous allez rougir. Quelqu'un vous dit quelque chose qui vous blesse? Vous avez aussitôt les larmes aux yeux et vous savez que votre interlocuteur s'en aperçoit. Vous êtes en colère? Votre voix vous trahit immanquablement. Nous réagissons donc à tout ce qui nous entoure et c'est notre bagage en tant qu'individu qui fait foi de tout.

Bien des gens autour de nous sont aux prises avec différents problèmes dont les causes, affirment les psychologues, sont souvent attribuables à l'enfance.

Dans quelles conditions votre enfance s'est-elle dé-
roulée? Comment se comportaient vos parents avec
vous? Étiez-vous une enfant frustrée ou ambitieuse?
Avez-vous été victime de violence ou agressée sexuel-
lement, ou vous sentiez-vous simplement incom-
prise? À partir de ces éléments, vous serez en mesure
de mieux comprendre pourquoi vous avez aujour-
d'hui certaines attitudes et certains problèmes qui
sont des nuages gris dans votre vie.

Peut-être, comme moi, votre enfance, votre jeu-
nesse et votre adolescence étaient-elles normales.
Vous faisiez peut-être partie d'une famille unie, un
frère, une sœur, des parents qui s'aimaient et tra-
vaillaient fort tous les deux pour donner à chacun sa
part de bonheur familial, de richesse de l'âme, et assez
de talent pour vivre une vie d'adulte épanouie. Force
est d'admettre qu'on trouve donc en chacun de nous
des failles que nous avons créées en tant qu'individus,
qui sont apparues comme ça, à mesure que nous
avons grandi. L'enfance, ce n'est pas tout: c'est une
base sur laquelle notre vie est appuyée solidement; si
cette base est faite de bonnes valeurs ou de misère, le
reste, on a à le construire et à l'ajuster du mieux que
l'on peut. Nous avons, chacune de nous, cette faculté
à un niveau différent, mais il faut s'y prendre à deux
mains et avec toute sa tête pour réussir.

Par ailleurs, notre comportement vis-à-vis de la
nourriture est certainement attribuable à notre éduca-

tion, il n'y a pas à en douter. Si vos parents ont toujours privilégié l'abondance de sucreries à la maison, il est probable que vous soyez devenue dépendante des sucreries aujourd'hui, mais ce n'est pas toujours vrai. À la maison, lorsque j'étais enfant, il était peu fréquent que mon frère, ma sœur et moi mangions des friandises. En fait, il n'y en avait pas souvent; papa et maman en achetaient seulement lorsque nous allions recevoir de la visite. Maman était une excellente cuisinière et elle nous préparait toujours de bons repas équilibrés. Elle avait aussi l'habitude de dire: «On ne fait pas de gaspillage»; nous mangions donc le contenu de nos assiettes, mais ce n'était évidemment pas une corvée puisque, je l'ai dit, elle était un véritable cordon-bleu. Puis, nous avions droit à un dessert et nous avons été habitués à ne pas faire d'excès de ce côté.

Cependant, je me souviens d'avoir fait des courses chez l'épicier pour ma mère et, chaque fois, j'achetais une barre de chocolat que j'avalais sur le chemin du retour à la maison. Parfois montée sur ma bicyclette, ce n'était pas facile avec les paquets dans une main et le chocolat dans l'autre, en tenant en plus le guidon... Je ne sais pas d'où vient cette habitude de manger en cachette; je n'ai pas été élevée à cacher les choses, nous nous disions tout et jamais nous n'avons été punis sans raison. Comme je le disais précédemment, l'enfance n'explique pas toujours tout. Ces barres de chocolat engouffrées en cachette étaient néanmoins le premier signe que j'étais ou que j'allais être une bonne candidate pour manger mes émotions.

«Chez moi, raconte Manon, mes parents nous menaçaient toujours, ma sœur et moi, de ne pas avoir droit au dessert si nous ne finissions pas notre assiette. Même lorsque ma mère nous servait du steak ou, pis encore, du foie de veau, nous nous efforcions de finir notre assiette et même de trouver des trucs pour la terminer plus rapidement, comme cacher discrètement de la nourriture dans nos poches afin d'avoir droit au dessert. Malheureusement, nous n'avions pas de chien qui aurait pu nous sauver de bouchées avalées du bout des lèvres!

«Imagine: ma sœur n'a jamais eu de problème de poids mais moi, chaque fois que j'ai voulu me faire plaisir ou me récompenser, je me gâtais en m'offrant une pâtisserie ou des biscuits en cachette, ce qui m'a bien sûr emmenée à prendre un peu trop de poids à mon goût. J'ai compris que ce goût pour les desserts provenait de mon enfance, que les frustrations engendrées par la nourriture m'incitaient à agir de la sorte. Mais je vais te dire franchement, même lorsque tu sais comment il se fait que tu as développé ce réflexe, tu te rends compte que tu ne peux tout de même pas revenir en arrière et recommencer à zéro. Il faut agir et bousculer un peu ses habitudes et ses réflexes alimentaires.»

Personnellement, j'ai commencé à mal me nourrir lorsque je me suis retrouvée seule en appartement. Maman n'était plus là pour me préparer des repas équilibrés et il m'était beaucoup plus facile, désormais, d'aller prendre une bouchée dans un *fast food* ou de manger des «cochonneries» que de prendre le temps de cuisiner. La paresse combinée à la facilité. C'est aussi le propre des étudiants lorsqu'ils se trouvent pour la première fois loin de chez eux. Le casse-croûte de la cafétéria du cégep ou la pizza de fin de soirée ont fait partie de ma «formation».

MANGER PAR PLAISIR

Manger est l'une des premières choses que nous apprenons, l'un des premiers plaisirs auquel nous goûtons. On se nourrit d'abord pour subsister, mais aussi par goût. On n'a qu'à regarder les bébés savourer des aliments sucrés pour comprendre à quel point on acquiert très jeune ce goût pour ce type d'aliments. De ma vie, je n'ai jamais entendu parler d'un enfant qui n'aimait pas le chocolat ou les sucreries, mais il est évident que s'ils en étaient privés, ils développeraient tout simplement des goûts différents.

Au fil des ans, de l'enfance à l'adolescence, nous développons et affinons nos goûts, nous effectuons des choix dans notre alimentation quotidienne. Des aliments n'auront jamais d'attrait pour certaines d'entre nous — ne me parlez pas de boudin! — mais lorsqu'on a l'occasion de se permettre nos mets de prédilection, le moindrement qu'on aime manger, la dégustation de ces plats demeure de belles expériences.

Aujourd'hui, à une époque où le *cocooning* est en vogue, on met tout en œuvre afin d'être bien chez soi. Un décor chaleureux, des meubles confortables, du cinéma maison, tout y passe pour faire en sorte qu'on aime être chez soi. Et pour plusieurs, moi la première, se trouver à table, à la maison, avec des amis pour partager un bon repas demeure souvent l'un des grands plaisirs du week-end, une soirée qu'on s'offre, comme un cadeau, et qui nous permet de vivre des moments fort agréables. J'aime être entourée de mon mari, de ma fille, de parents ou d'amis, et discuter autour d'un bon repas arrosé d'une bouteille de vin bien choisie. Vive les repas qui s'éternisent à parler de choses et d'autres au-dessus de nos assiettes! L'estomac et l'esprit sont alors bien nourris, et je ne m'en porte que mieux.

Toutefois, là où ça se complique, c'est lorsqu'entre les repas, parce qu'on est aux prises avec nos nerfs ou nos émotions, ou simplement parce qu'on a un goût de sucré ou de salé et qu'on aime manger ce genre de choses, on se permet des écarts. Pourquoi la nourriture? Parce que, d'une part, c'est à la portée de la main pour tout le monde et que, d'autre part, il est tout à fait normal de manger. Manger est également l'échappatoire la plus facile et la plus accessible que nous puissions avoir pour se faire plaisir ou pour pallier une ou plusieurs lacunes. Si certaines femmes vont, entre autres, opter pour la cigarette ou pour l'alcool, il demeure que c'est avec la nourriture que nous avons le plus tendance à manger nos émotions.

POURQUOI SE TOURNE-T-ON VERS LES ALIMENTS SUCRÉS?

Habituellement, lorsqu'une petite fringale nous assaille, nous avons tendance à porter notre choix sur des aliments sucrés. Pourquoi? Parce que nous avons toutes, pour la plupart, été conditionnées ainsi. Les sucreries ont toujours été perçues comme des gâteries, des douceurs, comme disait si bien grand-maman Vincent. Lorsque nous allions la visiter, elle avait l'habitude, pour notre plus grande joie, de toujours mettre un plat de bonbons à notre disposition. Puis, il y avait aussi grand-mère Alice et ses boîtes de chocolats qu'on lui donnait à son anniversaire, à Pâques et à la fête des Mères. Elle les gardait pour nous, les plus grands. À l'époque, je me disais que c'était pour cela que les grands-mamans étaient faites, mais rien n'équivalait la douceur de leur sourire et la grande attention qu'elles portaient à chacun de nous. Nous avons toutes des souvenirs sucrés comme ceux-ci et chacune réagit de façon différente; certaines développent un «bec sucré», tandis que d'autres ne craquent tout simplement pas pour ces gâteries.

Le chocolat, le sucre à la crème et bon nombre d'autres aliments semblables ont, de par l'éducation ou l'environnement dans lequel nous avons baigné, été associés au plaisir. Le plaisir de déguster, le plaisir de la vie. Bref, le plaisir de se faire plaisir!

Au-delà du fait que plusieurs d'entre nous ont été conditionnées à aimer et à manger des aliments sucrés, le sucre a un effet apaisant sur notre organisme et une grande satisfaction lorsqu'on l'ingurgite! Pour beaucoup d'entre nous, lorsque nous mangeons une barre de chocolat, des biscuits et quoi encore, nous ressentons une sorte de contentement. On ne parle pas ici de femmes qui souffrent d'hypoglycémie — insuffisance ou diminution du taux de glucose dans le sang —, mais bien de celles qui, sans problème physique, aiment les aliments sucrés et adorent mordre dans un biscuit au chocolat, par exemple.

Mon mari raffole de tout ce qui est sucré; il aime la sensation que lui apporte, par exemple, un morceau de tarte au sucre ou du gâteau au chocolat. «C'est parfois plus fort que moi: même si j'ai pris un bon repas et que je sais que je n'ai plus faim, il m'est souvent difficile de résister à un dessert. C'est de la gourmandise, bien sûr, et j'en suis conscient, mais j'apprécie tellement le plaisir que me procurent ces aliments! Ça me prend énormément de volonté pour résister à la tentation», raconte-t-il.

Combien d'enfants ont grandi avec ce fameux système de récompense: si tu fais ceci ou cela, tu auras droit à cela. Et avez-vous déjà entendu parler que le «cela» en question était un plat de radis, des bouts de céleri ou de carottes, ou une orange? Plutôt rare, j'imagine! Bien souvent, on préconise davantage l'attribution d'une sucrerie. Pour lui faire plaisir, on emmène son enfant déguster un cornet de crème glacée ou on lui achète une sucrerie, du chocolat, et quoi encore. Dans bien des cas, c'est toute une éducation à reprendre, des années d'apprentissage et de comportement à modifier. Cela ne se fait pas du jour au lendemain, mais c'est possible. C'est la même chose pour ce qui est de modifier les habitudes acquises en réaction à nos émotions.

L'AVIS D'UNE SPÉCIALISTE

France Martin, diététiste professionnelle, exerce son métier depuis seize ans et pratique depuis douze ans en banlieue nord de Montréal. Elle a gentiment accepté d'élaborer un peu à propos des gens qui mangent leurs émotions et du rapport qu'ont les femmes avec la nourriture et les aliments sucrés.

«Lorsque les femmes mangent leurs émotions parce qu'elles cherchent un réconfort quelconque, un sentiment de sécurité, elles choisissent habituellement des aliments bourratifs qui leur donnent la sensation de vraiment manger quelque chose. Le plus souvent, ce sont des aliments qui contiennent du sucre; du moins, je vois beaucoup plus de femmes qui ont tendance à opter pour des sucreries. Au départ, c'est le goût qu'on recherche, le plaisir de manger un aliment qui nous plaît. Mais il y a aussi passablement de femmes qui ont des rages pour manger des farineux, du pain, des croustilles, des choses du genre, et qui ressentent moins l'envie de manger du sucre ou du chocolat. Le sucre peut devenir en quelque sorte une drogue, il peut pallier un manque du système; tout se passe entre le taux de sucre dans le sang et la répercussion dans une partie du cerveau, soit l'hypothalamus. Mais je vous dirais qu'en général, les gens ne veulent pas vraiment se faire expliquer comment ça se passe dans leur cerveau. Ils ne veulent pas savoir que c'est à cause de telle hormone qu'ils ont une réaction donnée, ils veulent plutôt savoir comment ils peuvent réagir à la situation qui se présente.»

Effectivement, c'est surtout ce qui nous préoccupe — c'est ce que nous aborderons au prochain chapitre —, mais il est clair que nous, les femmes, avons une relation bien particulière avec la nourriture, comme le précise France Martin.

«De par mon expérience, je peux vous dire que les femmes ont plus tendance à manger leurs émotions que les hommes et que cela constitue le problème majeur chez celles qui font de l'embonpoint. La relation des femmes avec la nourriture n'est pas la même que pour les hommes, notamment pour celles d'une certaine génération. Les femmes qui sont à la maison font l'épicerie, préparent les repas; ce sont elles qui gèrent toute l'alimentation de la famille. Le rapport avec la nourriture va être plus difficile pour ces femmes à la maison. Ce n'est pas non plus évident pour celles qui travaillent à l'extérieur: elles sont souvent obligées de gérer leur alimentation et, généralement, celle des personnes qui habitent avec elles, en plus d'avoir à travailler. En général, on peut affirmer que les hommes préparent peu de repas et que ce ne sont pas eux qui font l'épicerie. Il se trouvera des gens pour affirmer que la tendance a changé un peu au cours des dernières années, c'est vrai, mais pas autant que nous pourrions être portés à le croire», dit-elle.

UNE QUESTION D'IMAGE

Toutes les femmes qui font de l'embonpoint et qui n'arrivent pas à perdre les kilos en trop finissent bien souvent par consulter une nutritionniste ou un médecin spécialisé. Un bon matin, on se lève, déterminée, et on fait les premiers pas en téléphonant pour prendre un rendez-vous. C'est la même chose pour les hommes, mais les raisons évoquées par l'homme et par la femme pour suivre un régime équilibré ne sont pas vraiment les mêmes.

«Il est assez rare que des hommes viennent me consulter pour perdre du poids parce qu'ils sont soucieux de leur image, sans aucune autre raison. Lorsqu'ils décident de prendre les grands moyens et de venir consulter, c'est parce que leur santé les préoccupe et il y a habituellement une référence médicale. Pour les femmes, c'est une autre histoire. Bien que plusieurs d'entre elles aient des problèmes de santé, elles sont aussi soucieuses de leur image et persuadées que leur vie sera plus agréable si elles réussissent à perdre quelques kilos. Elles décident alors de venir me voir. La santé n'est habituellement pas leur priorité.»

Ah! l'image! Bien que, ces dernières années, les femmes rondes soient un peu plus en vogue plusieurs personnalités connues constituent des exemples de femmes «bien en chair» et paraissent très bien dans leur peau —, il demeure qu'un peu partout, dans les magazines, à la télévision et dans la plupart des publicités, la minceur est à l'honneur. Les clichés sont solidement ancrés dans la mémoire collective des Nord-Américaines et des Nord-Américains et il nous est parfois difficile de croire qu'un homme, si on lui en donne le choix, préférera les courbes d'une Rosie O'Donnell à celles d'une Cindy Crawford. De plus, la plupart des *stars* qui font partie de notre quotidien, à la télévision, au cinéma ou dans les magazines, sont des femmes minces, sveltes et séduisantes. Entre vous et moi, n'aimeriez-vous pas mieux vous trouver dans les bras de Brad Pitt ou de Harrison Ford, plutôt que dans ceux de Luciano Pavarotti ou de Marlon Brando? Si vous voulez vous faire chanter la pomme, Pavarotti n'a pas son égal, mais, bon...

Bien sûr, ce ne sont pas toutes les femmes qui décident un jour de modifier leur alimentation et de suivre un régime. Certaines acceptent leur condition, ont pris le parti d'être rondes ou d'afficher quelques kilos en trop et ont choisi de faire une croix sur les régimes amaigrissants. Mais pour d'autres, toutes les raisons peuvent être bonnes pour perdre du poids. Que ce soit pour le plaisir de pouvoir se procurer de nouveaux vêtements, dans le but d'être plus séduisante afin de trouver l'amour, pour plaire à notre conjoint ou parce qu'on se rend compte avec horreur que l'on est de plus en plus à l'étroit dans ses vêtements, la perte de poids devient un objectif primordial.

Ne négligeons pas non plus l'aspect médical. Plus on avance en âge, plus les problèmes risquent d'apparaître, et rien ne vaut la prévention plutôt que de se trouver sur un lit d'hôpital à se dire: «Si j'avais su...» C'est d'abord et avant tout une question de respect de soi tant par son apparence que par le souci de sa santé.

On le sait, perdre du poids n'est pas une chose facile. Au fond, nous savons toutes quels sont les aliments à proscrire, qu'il est préférable de manger une salade ou du poisson plutôt que des pâtes servies avec une sauce riche. Nous savons que nous devrions être plus raisonnable lorsque vient l'heure des repas. Il vaut mieux porter notre choix sur un plat minceur quand on prend un repas au restaurant et on devrait cesser de consommer en grande quantité boissons gazeuses et sucreries. Mais nous savons toutes, hélas! qu'il faut beaucoup de volonté et qu'il est beaucoup plus facile de parler que d'agir.

«Il est assez rare qu'une personne qui mange ses émotions n'ait pas un problème de poids, ajoute France Martin. Malheureusement, les gens vont avoir tendance à manger encore plus leurs émotions après avoir suivi un régime amaigrissant qui n'est pas contrôlé. C'est psychologique, on compense, on se tourne vers quelque chose dont on a été privé durant un certain temps afin de se satisfaire, de se faire plaisir. On se récompense, mais de la mauvaise façon, précise la nutritionniste. J'ai vu des femmes en consultation qui avaient commencé à suivre des régimes alors qu'elles étaient dans la vingtaine, avec comme objectif de perdre cinq kilos, et que j'ai retrouvées des années plus tard à quatre-vingt-dix kilos! Il est clair que ces personnes ont de plus en plus mangé leurs émotions au fil du temps, et que les différents régimes auxquels elles se sont soumises en sont la cause. Cette fois, il faut repartir à zéro, mais sur une base équilibrée.»

PROSCRIRE LA PRIVATION

Afin d'éviter que les gens aient tendance à manger leurs émotions et qu'ils fassent des excès parce qu'ils se sentent lésés dans leur liberté de choisir et de manger des aliments qu'ils adorent, France Martin n'a pas tendance à privilégier la privation chez les personnes qui n'affichent pas de problème de santé. «Je pense qu'il est important de ne se priver de rien, bien sûr jusqu'à un degré raisonnable, mais de manger de tout avec équilibre. Le sentiment de privation est néfaste et c'est souvent ce qui va contribuer au fait que les gens mangent leurs émotions. S'il y a des aliments que des femmes aiment et dont elles ne peuvent se passer, je leur suggère d'en manger beaucoup moins fréquemment. Mais afin de permettre à la pression de s'échapper de la marmite, elles devraient tout de même en manger.»

Voilà une approche que je considère plutôt intéressante; personnellement, je crois qu'il est franchement impossible de se dire que plus jamais on ne touchera à une sucrerie. J'ai connu des femmes qui, avec toute la meilleure volonté du monde, avaient décidé de suivre un régime et de rayer de leur alimentation tous les desserts — bien sûr très riches en calories — dont elles raffolaient de même que certains aliments comme la poutine, la pizza et le poulet frit. Le modèle est classique: durant un certain temps, elles se sont astreintes à un régime strict, puis elles ont craqué et sont retombées dans leurs habitudes alimentaires. Ce sont justement nos mauvaises habitudes alimentaires qu'il nous faut apprendre à modifier plutôt que de nous limiter à ne consommer que des substituts de repas ou à peine 1000 calories par jour.

Carole est l'exemple type du genre de personne qui, frustrée d'être au régime, a fini par craquer. «Ça allait très bien, je maigrissais passablement, mais je trouvais difficile de me sentir à part des autres, de ne plus pouvoir savourer un bon hamburger, par exemple. Il faut dire que j'avais entrepris un régime passablement strict qui me permettait bien peu d'écarts; je devais peser mes aliments, tout calculer. Je ne me joignais plus aux collègues pour un dîner d'anniversaire ou tout bonnement pour un repas entre amis. J'avais confiné à manger dans mon bureau le lunch que j'avais préparé le matin même. Le plus difficile était cet isolement que je m'étais imposé pour ne pas tricher.

«Un soir, avec des amis, je m'étais offert le luxe de manger une salade au poulet au restaurant. Sans écart, sans dessert ni boisson gazeuse. De l'eau et de la salade. J'éprouvais un sentiment de fierté d'y être arrivée et de n'avoir rien pris d'autre. Alors que je marchais seule sur la rue et que je retournais à mon automobile, j'ai eu le malheur de passer devant la vitrine d'une pâtisserie. J'avais pourtant très bien mangé, je n'avais pas véritablement faim, mais la tentation a été trop forte. Je me suis rappelé qu'il m'était souvent arrivé, à une époque, d'arrêter à cette pâtisserie pour acheter quelques gâteries ou pour y commander des gâteaux d'anniversaire. Je me suis souvenue également à quel point cette pâtisserie était renommée et que j'avais toujours retiré beaucoup de satisfaction à goûter leurs "petits péchés". Même si j'avais dépassé le magasin depuis déjà quelques secondes et que j'approchais de mon automobile, après une très courte réflexion, j'ai rebroussé chemin. J'ai acheté trois pâtisseries que j'ai, par la suite, mangées en cachette comme une enfant, assise dans mon automobile!

«J'avais un peu honte, mais je ne peux pas te dire à quel point j'ai ressenti du plaisir à manger ces trois pâtisseries que j'ai littéralement dévorées. J'étais consciente de mon sentiment de fierté à la sortie du restaurant, mais la satisfaction de m'être empiffrée était encore plus grande. Je n'ai jamais compris pourquoi. Au cours des jours qui ont suivi, je n'ai jamais été capable de m'astreindre à mon régime durant une journée complète. Je me rappelais ma faiblesse devant un gâteau et j'avais tout gâché. L'estime que je me portais en avait pris un coup et je sentais que je ne pourrais pas surmonter un obstacle semblable si je m'embarquais à nouveau dans un régime. Ce n'est que près de deux semaines plus tard, après avoir constaté avec horreur, comme je m'y attendais, que j'avais gagné quelques kilos, que j'ai décidé de tout recommencer à zéro», raconte-t-elle.

Voilà un témoignage qui démontre bien, à mon avis, les dangers qui guettent les personnes qui s'astreignent à des régimes hypersévères qui ne leur permettent pas d'écart de comportement. La vie que nous menons, avec ses joies et ses bonheurs, mais également avec ses préoccupations de toutes sortes, n'est pas toujours facile. Nous traversons toutes des périodes où il nous semble qu'on ne verra jamais la lumière au bout du tunnel, que ce soit au travail, dans sa vie de couple ou familiale, ou en ce qui concerne ses finances personnelles. Parce que nous sommes bien ancrées dans un mode de vie et qu'on aspire à des jours meilleurs, on se doit d'être à la hauteur, d'être performantes, de faire face à la musique, et ce, bien souvent, peu importe les circonstances et notre état d'esprit. Certaines s'en tirent bien, d'autres ont plus de difficulté. En ayant, de surcroît, à gérer des émotions de toutes sortes, à vivre avec nos réactions émotives face aux différents événements qui surviennent dans notre entourage et qui nous touchent de près, il nous faut inventer certains trucs pour en sortir gagnantes. Bousculées par nos émotions, on a parfois l'impression de se trouver dans un manège, des montagnes russes, qui nous emmène de bas en haut sans arrêt.

J'ai compris, au fil des ans, que si on ne parvient pas à trouver certains trucs, si on ne modifie pas des choses dans notre façon de penser, on en vient inévitablement à manger ses émotions. Contrairement à ce que l'on pourrait imaginer et selon bien des spécialistes, les émotions peuvent se contrôler jusqu'à un certain point, à condition toutefois de vouloir y mettre les efforts nécessaires dans le but d'y parvenir et d'être vraiment déterminée à résoudre le problème. Quand celui-ci nous semble trop gros à surmonter, il ne faut surtout pas hésiter à aller chercher de l'aide auprès de nos proches ou de spécialistes.

CHAPITRE 4

Comment arrêter de manger vos émotions

TRUCS ET ASTUCES

Nous y voilà. Vous avez décidé pour de bon de vous attaquer à votre problème et de tenter de mettre fin à ces attaques de fringale? Bravo! Dans les pages qui suivent, vous trouverez quantité de trucs que je vous invite à mettre en application. Ne vous gênez pas pour employer différents stratagèmes à la fois, comme j'en ai fait l'expérience, afin de venir à bout de votre habitude de manger vos émotions.

Il n'est pas question ici de vous prodiguer des conseils pour que vous cessiez à tout jamais de vous permettre une collation quelconque, mais plutôt de vous aider à prendre le contrôle de cette fâcheuse habitude développée avec les années.

NE SAUTEZ PAS DE REPAS

Si vous ne prenez pas le temps, le matin, de déjeuner convenablement avant de vous rendre au travail, il est fort à parier que vous ressentirez un petit creux au cours de la matinée et que vous serez tentée de vous permettre un écart. On nous a maintes fois répété que le déjeuner était, sans l'ombre d'un doute, le repas le plus important de la journée, celui qui nous donnait notre erre d'aller pour la journée. Faites-vous plaisir, prenez le temps de vous préparer un bon déjeuner appétissant et levez-vous plus tôt si vous n'en avez pas le temps ordinairement. À la longue, vous constaterez que cela contribuera à donner un rythme à votre corps et à votre esprit.

Évidemment, ne négligez pas non plus le repas du midi et celui de fin de journée. Si vous prenez l'habitude de bien manger, de prendre des repas équilibrés, idéalement aux mêmes heures, vous pourriez réussir à éviter ce besoin de grignoter. Votre corps, sachant qu'il recevra de la nourriture régulièrement, n'aura pas à se faire des réserves. C'est de là que, bien souvent, provient le gain de poids. On saute un repas, quelquefois deux, le corps est en alerte et conserve le gras ainsi que l'eau nécessaire à faire fonctionner son métabolisme de peur qu'il ne reçoive pas assez régulièrement de nourriture. Il ne veut pas éliminer tout d'un coup, et c'est là qu'on se fait prendre à son propre jeu.

BUVEZ DE L'EAU

Classique, mais efficace! Vous êtes à la maison et, soudainement, l'envie de grignoter se fait sentir? Prenez un grand verre d'eau, deux si nécessaire, ce qui aura comme conséquence de freiner toute envie de manger. Non seulement cela est-il efficace mais, de plus, nous savons toutes que boire de l'eau, au minimum huit verres chaque jour, est excellent pour la santé. Peu importe le régime que l'on suive un jour, on nous conseille toujours de boire beaucoup d'eau, idéalement à température tempérée. Il est préférable d'éviter l'eau trop froide.

L'eau peut également être utilisée comme coupe-faim pour freiner quelque peu votre appétit et pour vous empêcher de prendre un repas trop lourd. Quinze ou trente minutes avant le repas, prenez le temps de boire deux verres d'eau fraîche, de grandeur moyenne. Pourquoi deux? Le premier pour se désaltérer et un de plus pour hydrater son corps, même si on n'a plus soif. Ce truc m'a été conseillé par une nutritionniste et est aussi très bon pour diminuer l'appétit. Si vous mangez au resto, lorsque viendra le temps de sélectionner un plat, il y a fort à parier que cela vous incitera à opter pour une portion ou un plat moins généreux. À la maison ou au bureau, ayez toujours un verre d'eau à la portée de la main. Depuis plusieurs années, j'ai à la maison un distributeur d'eau et je me félicite régulièrement de cette initiative. J'ai toujours, ainsi, de l'eau fraîche à ma disposition, et elle est bien meilleure que celle que l'on peut se servir au robinet. De plus, le fait de l'avoir constamment à la vue a tendance à nous donner soif.

PLANIFIEZ VOTRE ÉPICERIE

Le truc ne date pas d'hier, mais il est drôlement efficace: rendez-vous à l'épicerie pour vous procurer les victuailles pour la semaine alors que vous venez de manger, que vous avez le ventre plein. Le contraire est naturellement à proscrire. Bien souvent, vous arrêtez faire les courses à la sortie du bureau et la faim vous tenaille: vous risquez de vous précipiter à bras raccourcis sur tout ce qui s'appelle sucreries et friandises. En parcourant les allées, non seulement aurez-vous de plus en plus faim, mais le montant total des achats risque d'être passablement plus élevé que ce que vous aviez prévu. Comme on prépare de jeunes enfants lorsque vient le temps de les habiller pour aller jouer dehors, prenez le temps de préparer votre épicerie. Avant de quitter la maison ou le bureau, dressez une liste d'aliments à acheter et respectez-la. Plusieurs marchés d'alimentation offrent le café; servez-vous-en un ou prenez un verre d'eau en entrant.

SURVEILLEZ VOS ACHATS

Si vous voulez cesser de manger vos émotions lorsque vous êtes à la maison et éviter de vous précipiter sur des aliments qui vous feront rapidement prendre des kilos, par exemple des biscuits, des gâteaux ou des croustilles, la solution la plus simple consiste bien sûr à ne pas mettre ces articles dans votre panier d'épicerie. Aussi simple que cela! On l'a dit: un gâteau au chocolat, des arachides et des bonbons sont des aliments beaucoup plus attrayants que des légumes. Réservez donc ces gâteries pour des événements spéciaux, lorsque vous recevez des amis, par exemple. Ne vous en privez pas complètement, sinon vous pourriez en être très frustrée, mais en espaçant vos achats, vous serez sur la bonne voie. Pour ma part, je sais fort bien que si j'achète un sac de croustilles, je ne tarderai pas à en voir le fond, et ce, en très peu de temps. Rien ne vaut d'éviter la tentation!

PRÉVOYEZ DES RÉSERVES SAINES

Vous êtes sujette à une rage de faim parce que les émotions se bousculent dans votre tête? La paresse vous gagne parfois, vous allez vers la solution la plus facile. Pour être certaine que vous ne vous précipiterez pas sur les mauvaises choses, vous aurez coupé à l'avance en bâtonnets des carottes, des céleris, des navets ou des concombres, que vous garderez au réfrigérateur, dans un contenant hermétique. Faites-le en revenant du marché d'alimentation. Vous aurez ainsi sous la main de bons aliments, tout prêts, qui n'auront pas de répercussions fâcheuses sur votre ligne.

AFFICHEZ DES PHOTOGRAPHIES

Voilà un truc que j'utilise depuis des années: dénichez dans vos photographies celle où vous êtes à votre mieux, en maillot de bain ou cette photo sur laquelle on vous voit portant une robe ou un ensemble que vous avez tellement aimé mais que vous ne pouvez plus porter, et affichez-la sur la porte du réfrigérateur ou du garde-manger. Évidemment, ne jouez pas à l'autruche et ne vous fermez pas les yeux pour vous empêcher de la voir lorsque vous allez chercher les biscuits! En faisant travailler votre imagination quelque peu, en vous demandant si vous serez fière, l'été prochain, de vous afficher sur la plage avec le même maillot, et pourquoi pas pouvoir reporter cet ensemble qui vous a peut-être coûté assez cher, vous devriez réussir à réprimer votre envie de grignoter.

Personnellement, le fait d'afficher bien à la vue la photographie d'une jolie fille bien proportionnée, sans qu'elle soit la perfection physique incarnée, m'encourage passablement à éviter de grignoter. La photographie d'une personnalité que j'apprécie grandement, ou celle d'une femme qui, après de longues années de régime, est parvenue à atteindre son poids idéal, me stimule encore plus.

Enfin, voici un autre truc qui peut être encore plus efficace pour certaines: affichez bien à la vue votre plus belle photographie que vous puissiez trouver, celle que vous adorez, où vous avez l'air d'une *star* irrésistible et séduisante, aux côtés de celle que vous détestez, où vous êtes moche et, disons-le, un peu trop grosse à votre goût. En dessous de la première photographie, écrivez en grosses lettres: «Je serai toujours aussi belle parce que j'évite de grignoter et je mange sainement.» Puis, en dessous de l'autre photographie, écrivez: «Voici de quoi j'aurai toujours l'air si je ne cesse de grignoter et que je ne me prends pas en main.» Un peu cruel, mais drôlement efficace!

UTILISEZ LE MIROIR

L'utilisation d'un miroir peut s'avérer un succès pour réussir à vous convaincre de trouver une autre façon de faire passer votre anxiété, votre frustration, bref, votre mal de l'âme. Lorsqu'il vous arrive de vous sentir «possédée» et que vous vous saisissez d'une sucrerie ou d'un aliment qui, à coup sûr, et vous le savez très bien, ne vous aidera en rien à maintenir votre ligne ou à perdre du poids, allez tout de suite vous placer devant un miroir, idéalement un miroir plein pied. Vous vous imaginez, maintenant, debout, plantée devant le miroir, votre plat de croustilles à la main? D'une part, si vous avez déjà commencé à manger ou si vous mangez devant le miroir, en vous regardant bien droit dans les yeux, il y a fort à parier, comme il m'est déjà arrivé, que vous ne prendrez plus une bouchée de plus. Vous vous sentirez ridicule, coupable. Une foule de choses vous viendront à l'esprit; vous n'aimerez pas vous voir ainsi, la bouche pleine de chocolat, par exemple, alors que vous savez très bien que c'est encore une fois vos émotions qui viennent de vous jouer un vilain tour. Vos remords devraient, en principe, être plus forts que votre envie de manger. Devant le miroir, vous regarderez peut-être votre visage, votre taille, vos cuisses, et vous constaterez que ce que vous êtes sur le point de dévorer va vous faire du tort et que vous devrez ensuite souffrir pour perdre les quelques kilos en trop qui vous agaceront. Ce truc est basé sensiblement sur le même principe que la photographie mais, pour certaines, l'emploi d'un miroir peut s'avérer encore plus efficace.

Je dois ici préciser que, moi la première, j'ai dû parfois avoir recours à plusieurs trucs simultanément afin de me rendre compte qu'il n'était pas bon que je me précipite sur des choses que je devais m'interdire la plupart du temps. Il m'est arrivé à quelques reprises d'utiliser le truc du miroir, tout en prenant lentement un grand verre d'eau ou en utilisant un autre truc, et j'ai souvent réussi à faire passer ma rage de manger. Ne vous gênez surtout pas pour faire de même; toutes les méthodes peuvent être bonnes pour vous éviter de vous défouler en prenant de la nourriture qui n'est pas forcément bonne pour votre santé et votre ligne!

NOTEZ VOTRE POIDS

J'ai affiché une feuille à l'intérieur du garde-manger sur laquelle j'y inscris mon poids, tous les lundis matin, dès le lever. Je ne me pèse pas plus souvent, une fois par semaine suffit. La feuille, en plus d'être bien à ma vue quand j'ouvre la porte, m'indique les progrès effectués depuis quelques mois ou me montre parfois que je régresse et que j'ai encore du travail à faire. Mon objectif n'est pas trop haut, je ne me suis pas fixé un poids inatteignable. Au contraire, mon but est de perdre deux kilos par mois. Vous me direz que je me torture encore plus en laissant cette feuille à la vue de tous les membres de ma famille? Je vais chercher, de cette façon, un accompagnement et je sais qu'ils vont me seconder dans mes efforts pour me tenir en forme. Le fait que cette feuille soit affichée dans le garde-manger fait aussi réfléchir tous ceux qui en ouvrent la porte, sans trop savoir quoi manger.

PRATIQUEZ LA VISUALISATION

La visualisation a un effet du tonnerre, j'en ai fait l'expérience. Au cours des dernières années, une foule de choses positives me sont arrivées parce que je les ai souhaitées, parce que j'ai visualisé certaines situations, soir après soir, avant de m'endormir.

Mais, dans l'exemple suivant, je me sers de la visualisation sous une forme peu orthodoxe. Je vous reparlerai un peu plus loin de la «vraie visualisation»; en attendant, voici comment j'utilise la visualisation pour les besoins de l'exercice. Imaginez ceci, avant de manger:

• Lorsque vous prenez une bouchée dans un beignet, vous avalez une cuillerée de graisse végétale.

• Un morceau de gâteau appétissant n'est en fait qu'un mélange de farine et de gras.

• Une bonne tranche de fromage sur des craquelins, c'est en réalité une tranche de beurre plus ou moins frais sur des carrés de carton.

• Une montagne de crème fouettée n'est en réalité qu'une montagne de mousse à raser.

• Si vous vous permettez une barre de chocolat, il vous faudrait aller marcher pendant une bonne heure à bon rythme ou faire de la bicyclette à vive allure durant trente minutes afin de pouvoir éliminer les calories que vous venez de prendre.

• La jupe ou le pantalon que vous avez porté dernièrement, et que vous parveniez de peine et de misère à attacher, ne vous fera certainement plus après avoir ingurgité ce que vous vous apprêtez à vous permettre.

• Faites courir votre imagination: imaginez-vous en train de faire un *strip-tease* à votre mari ou à votre amant, un sac de croustilles à la main, la bouche pleine. Ou imaginez que votre mari ou votre amant vous fasse remarquer gentiment que vous semblez avoir un peu plus de rondeur que le mois dernier.

• Avant de vous payer une collation, imaginez votre découragement, lundi matin, lorsque vous cons-

COMMENT ARRÊTER dE MANGER VOS ÉMOTIONS

taterez, en posant les pieds sur votre pèse-personne, que vous avez pris un kilo.

• Pensez à cette amie que vous ne voyez pas fréquemment et que vous verrez bientôt; elle vous fera probablement la remarque suivante: «Ouais, les affaires vont bien. Tu as l'air bien en santé!»

• Vous êtes célibataire? Imaginez que vous rencontrez l'homme de vos rêves, celui que vous attendez depuis des lunes. Il est beau comme un dieu, vous devez vous pincer pour être bien certaine que vous ne rêvez pas. Il se déshabille lentement devant vous: il a le corps d'un athlète, il est musclé et terriblement séduisant. Voilà, c'est maintenant à votre tour de vous déshabiller devant lui, en pleine lumière. Pensez-vous que vous serez à l'aise?

• Enfin, imaginez-vous portant une légère robe de votre couleur préférée, marchant sur une rue achalandée. Vous êtes belle, séduisante, et tout le monde se retourne sur votre passage pour vous admirer. Le vent souffle et fait voler votre jupe, et on voit vos jambes qui n'ont jamais été aussi belles. L'homme qui marche à vos côtés n'est pas peu fier: il sait qu'on vous regarde et que d'autres hommes l'envient d'être votre compagnon. Vous goûtez enfin aux résultats de vos efforts de vous être convertie à une saine alimentation et d'avoir laissé tomber pour de bon toutes ces petites choses qui vous faisaient prendre du poids.

Vous voyez jusqu'où la visualisation peut vous mener...

PRENEZ GARDE À LA TÉLÉVISION

La télévision fait partie de notre quotidien, mais lorsque vient le temps de prendre un repas, il est plutôt néfaste de la regarder tout en mangeant. Pourquoi? Parce que, bien souvent, on est absorbé par ce qui se déroule au petit écran, notre attention est entièrement détournée de notre assiette. On mange machinalement, comme un robot, sans savourer chacune des bouchées que l'on prend. Mangez lentement, car c'est décevant de s'apercevoir, au moment où on pense prendre une dernière bouchée, que notre fourchette frappe le fond de l'assiette. Automatiquement, on dirait que l'appétit nous revient. Soudainement, on a l'impression de n'avoir rien mangé. Même si notre estomac est satisfait, nous ne le sommes pas. Nous nous jetons sur une seconde portion ou sur tout ce qui pourrait nous rassasier.

Éteignez le poste de télévision et préparez-vous une assiette appétissante en prenant le temps de goûter chacune des bouchées que vous dégustez, en mastiquant bien, en ne mangeant pas à la course. Concentrez-vous sur ce que vous mangez, étirez votre repas. Depuis quelques années, mon rythme de vie m'oblige à manger plus rapidement les mêmes quantités de nourriture. Il faut éviter cela. À l'heure du lunch, évitez d'être seule, faites-vous accompagner par un ami afin d'avoir de la compagnie. Ainsi, vous discuterez en mangeant et vous ingurgiterez moins rapidement les aliments. En soirée, il est préférable, si vous en avez l'occasion, de manger en famille. Ainsi, c'est un exercice complet: on mange moins rapidement, on est en bonne compagnie et on échange beaucoup plus avec ceux qu'on aime, ce qui a un effet fort relaxant, agréable et bénéfique à tous points de vue.

SERVEZ-VOUS DE PLUS PETITES PORTIONS

Voici un truc lorsque vient le temps de vous servir une assiette: pour éviter que la nourriture se perde dans une grande assiette, utilisez-en une plus petite, qui semblera bien remplie. Elle sera plus agréable à l'œil, vous aurez l'impression d'en avoir plus et d'être pleinement contentée. Mais attention, ne vous servez pas une seconde portion! Selon les médecins et les diététistes, il faut manger en deçà de sa faim. Quoi de plus désagréable d'entendre, au restaurant ou à la maison, une personne se plaindre: «Ah! j'ai encore une fois trop mangé!» et encore plus d'en subir les conséquences.

LAISSEZ PASSER LA RAGE

Si la rage vous prend soudainement de grignoter une friandise, retenez-vous avant de vous précipiter en direction du garde-manger ou du réfrigérateur. Occupez-vous pendant quelques minutes, portez votre attention sur quelque chose que vous aimez, qu'il s'agisse d'une émission de télévision, d'un livre, d'un magazine, d'un jeu vidéo, etc., cela vous fera oublier cette envie tenace de manger. Comme nous l'avons précisé précédemment à propos de la télévision, lorsque vous faites une chose, concentrez-vous sur celle-ci. Évitez de manger en lisant, entre autres, et apprenez à retirer la pleine satisfaction de l'activité à laquelle vous vous consacrez.

L'idée, en somme, est que vous évitiez de manger entre les repas et de vous gaver de friandises; trouvez-vous une autre façon de chasser votre ennui ou de vous récompenser.

Vous voulez éviter la fameuse distributrice de friandises (croustilles, chocolat, biscuits, boissons gazeuses, etc.), videz toute votre monnaie dans une tirelire avant de quitter la maison le matin, ce sera tout à votre avantage. Vous hésiterez à demander à une collègue de la monnaie pour une gâterie, surtout si elle sait que vous êtes au régime ou qu'elle vous accompagne au centre de conditionnement physique. À ce propos, à quand remonte votre dernière visite pour aller faire un peu d'exercice? Avez-vous fait du vélo stationnaire ou marché sur un tapis roulant dernièrement?

PARLEZ-VOUS!

Aussitôt que vous ressentez ce besoin d'aller piger dans votre réserve de friandises, prenez le temps de vous parler intérieurement, d'éloigner cette pensée de votre cerveau. Il y a moyen d'agir sur votre subconscient par le pouvoir sur la pensée, en chassant ces idées négatives qui viennent vous assaillir.

Ainsi, lorsque vous avez envie de manger, répétez-vous intérieurement: «J'ai autre chose à faire!», «Je n'ai pas faim!», «J'ai seulement le goût de manger!» à plusieurs reprises, ou encore: «Je ne dois pas céder à la tentation», «Je ne dois pas céder à la tentation», «Je ne dois pas céder à la tentation». Faites cet exercice durant une trentaine de secondes; vous pouvez même le combiner avec un autre des trucs mentionnés dans ce chapitre, par exemple regarder votre photographie en maillot de bain. À vous de trouver la formule qui vous convient le mieux, qui est la plus efficace afin de vous empêcher de grignoter.

CESSEZ DE BLÂMER LES AUTRES ET LES SITUATIONS

La fuite est souvent la solution qui nous apparaît la plus sécurisante, la plus facile. On se dérobe à ses obligations en fuyant, en trouvant mille et un prétextes pour ne pas faire ce que l'on a à faire, et certaines ont comme sport préféré de toujours rejeter le blâme sur les autres ou sur les situations pour leur incapacité d'agir ou de réussir. Plutôt que de faire face à ses problèmes, on fuit en mangeant, en blâmant les gens ou les circonstances d'être responsables de son alimentation. Lorsque vous avez envie de manger — parce que les émotions se bousculent dans votre tête ou que vous devez vous attaquer à une tâche qui vous déplaît et que vous cherchez par tous les moyens à retarder le moment où vous devrez vous y mettre —, prenez le temps de penser que vous êtes la seule coupable de ne pas être en mesure de contrôler cette pulsion qui vous incite à manger. Mais comme cela vous donne bonne conscience, vous vous trouvez des défaites toutes prêtes.

• Ce n'est pas de ma faute, le midi, je vais souvent manger au restaurant.

• Ce n'est pas de ma faute, il y avait un buffet... Qu'est-ce que tu voulais que je fasse?

• Ce n'est pas de ma faute, les enfants n'aiment pas manger de la salade. Je n'ai pas le choix, je leur pré-pare quelque chose d'autre... et je mange la même chose qu'eux.

• Ce n'est pas de ma faute: tout le monde prenait de la bière, je n'étais tout de même pas pour prendre une eau gazeuse sans calories.

• Tu aurais dû voir les desserts! Comment voulais-tu que je résiste?

Une personne nous a mis les nerfs en boule et, pour nous venger, nous allons prendre un ou deux kilos? Quelle folie! Même si vous savez qu'en raison du comportement d'une personne à votre endroit ou d'une situation bien précise qui vous tracasse vous vous apprêtez à plonger dans les friandises, faites une pause et un examen de conscience: dites-vous bien que vous seule en subirez les conséquences; vous serez la seule responsable si, quelques jours plus tard, vous vous apercevez que vous avez gagné quelques kilos. Lorsqu'on fait un geste et qu'on sait fort bien que nous devrons en assumer les conséquences par la suite, il vaut mieux y réfléchir à deux fois avant d'agir.

ÉCRIVEZ

Ayez toujours à la portée de la main une tablette et un crayon. Mieux, je vous suggère de vous procurer un cahier qui deviendra votre journal de bord, et dans lequel vous coucherez sur papier vos émotions. Que vous soyez triste, mélancolique, parfaitement heureuse et débordante de joie, ou si vous souffrez d'ennui, de frustration, à l'heure de la fringale, saisissez votre cahier et votre crayon: écrivez comment vous vous sentez et, surtout, pourquoi vous ne succomberez pas à l'idée qui trotte dans votre cerveau de vous lever et d'aller manger.

Il n'y a rien comme écrire. Si vous n'en avez pas l'habitude, la tâche sera peut-être plus difficile au début mais, rapidement, vous y prendrez goût et vous vous surprendrez d'avoir tant de choses à mettre sur papier. De fait, on n'est pas conscient du temps qui passe: parfois, nos journées nous semblent bien mornes et ennuyantes ou, au contraire, elles devraient durer 48 heures pour que l'on trouve le temps de tout faire. Donnez-vous la chance d'être consciente de tout ce que vous avez fait, des conversations que vous avez eues, des personnes rencontrées, et vous constaterez que vous avez certainement beaucoup de choses à raconter.

Vous arrive-t-il, parfois, d'avoir environ une centaine de dollars dans vos poches au début du week-end et de constater, le dimanche soir, qu'il ne vous reste pratiquement plus un sou? «J'ai certainement dû échapper de l'argent quelque part, j'ai sûrement 20 $ ou 30 $ dans une autre poche, sur mon bureau, dans mon sac à main, ça ne se peut pas!» Puis, en faisant l'inventaire de vos achats du week-end, du repas au restaurant, des sorties, etc., vous vous rendez compte que non, vous n'avez pas perdu d'argent, vous l'avez tout dépensé. C'est la même chose pour la nourriture. «Pourquoi est-ce que j'engraisse, pourquoi est-ce que je ne maigris pas? Pourtant, il me semble que je ne mange pas tant que ça.» Mais après avoir fait le décompte sur papier, la vérité nous saute au visage!

Écrire est une excellente thérapie. Vous trouverez du plaisir à raconter les hauts faits de votre quotidien et il est aussi important que vous écriviez au sujet de vos émotions, de ce que vous ressentez. Comment vous êtes-vous sentie ce matin en parlant avec votre conjoint d'un sujet délicat? Décrivez la joie ressentie en parlant à votre fille au téléphone ou ce que vous a procuré cette rencontre inusitée avec une personne que vous n'aviez pas vue depuis belle lurette. Prenez le temps de livrer sur papier maints détails d'une situation agréable que vous avez vécue, d'un événement, de la beauté des choses, ce que vous avez éprouvé au plus profond de vous-même.

Permettez-vous d'écrire ce que vous voulez; créez-vous un jardin secret en écrivant au sujet de votre vie de couple, de votre conjoint, de vos enfants, de vos peines et de vos joies. Bref, tout ce qui vous passe par la tête peut trouver sa place dans ce cahier. En écrivant et en racontant comment vous vous sentez, vous pourriez trouver là le meilleur moyen pour éviter de grignoter, surtout si vous noircissez des pages à ce sujet.

Pourquoi devriez-vous vous abstenir? Quels seront les résultats négatifs si vous mangez vos émotions? Comment est-ce que vous vous sentirez si vous résistez à ces envies alimentaires? Écrivez jusqu'à quel point, intérieurement, vous savez que vous êtes forte et que vous avez de la volonté. Pourquoi auriez-vous de la volonté pour une foule d'autres choses, une volonté à toute épreuve qui fait l'envie de vos proches, et que vous ne seriez pas en mesure de résister simplement à un morceau de chocolat ou à des croustilles? Plus vous écrirez, plus vous vous encouragerez en livrant vos états d'âme, et plus le résultat risque d'être fantastique.

Vous pouvez également faire de la visualisation écrite. Décrivez votre «nouvelle vie», comment vous vous sentez depuis que vous avez perdu du poids, depuis que vous ne succombez plus à ces crises de nourriture. Avec détail, transcrivez les commentaires élogieux que des personnes qui vous connaissent vous font au sujet de votre ligne, de votre détermination. Racontez comment vous avez hâte à l'été prochain pour aller vous acheter un nouveau vêtement, ou pour reporter ce jeans qui vous allait si bien l'an dernier. Laissez voguer votre imagination sur la mer de pages et racontez-vous une histoire, créez-vous un conte de fées! Écrire ne coûte rien et risque de vous mener bien loin, de vous ouvrir de nouveaux horizons. Lorsque vous aurez le cafard, que vous vous sentirez fragile émotivement, vous pourrez relire des passages de votre cahier, les beaux moments que vous avez imaginés et qui pourraient se concrétiser.

EXERCICE D'ÉCRITURE 1

L'un des trucs que je peux vous suggérer est de, bien sûr, toujours avoir ce livre à la portée de la main afin de pouvoir le consulter en cas de besoin. Vous sentez que vous allez craquer? Consultez la liste des trucs, asseyez-vous confortablement, prenez deux ou trois grandes inspirations et concentrez-vous sur votre lecture.

Vous pourrez aussi, si vous vous sentez fragile, consulter la page suivante dans laquelle vous aurez pris soin de noter 15 raisons pour lesquelles vous ne devriez pas céder à la tentation et pourquoi vous devriez cesser de manger vos émotions.

Pensez-y bien. Écrivez vos trucs sur une feuille avant de les retranscrire. Ces trucs vous stimuleront, vous encourageront, vous permettront d'avoir plus de volonté.

Des exemples? Je veux être belle et mince l'été prochain. En me contrôlant, je vais perdre du poids et je vais être plus heureuse et plus en forme, etc. À vous d'écrire vos préoccupations, des choses qui vous toucheront en plein cœur.

LES 15 RAISONS POUR LESQUELLES JE NE MANGERAI PLUS MES ÉMOTIONS

1.

2.

3.

4.

5.

6.

7.

8.

9.

10.

11.

12.

13.

14.

15.

EXERCICE D'ÉCRITURE 2

Le second exercice d'écriture auquel je vous suggère de vous prêter consiste à dresser une liste d'activités que vous adorez faire, qui vous procurent beaucoup de satisfaction et qui sont faciles à réaliser en un rien de temps. Utilisez l'espace consacré à cette fin à la page suivante. Vous pourrez parcourir cette liste si l'envie de manger vos émotions survient alors que vous êtes seule à la maison et que vous vous ennuyez et ne savez que faire.

Des exemples? Prendre un bain, faire de la couture, lire un roman, regarder la télévision ou visionner votre film préféré sur vidéo, téléphoner à une amie, faire de la peinture, écouter de la musique, sortir et faire une promenade, vous brancher sur Internet, regarder vos livres de plantes et préparer la conception de votre prochain jardin, faire des mots croisés, etc.

MES PETITS PLAISIRS DE LA VIE

1.

2.

3.

4.

5.

6.

7.

8.

9.

10.

11.

12.

13.

14.

15.

RAPPELEZ-VOUS QUE...

Une collègue de travail lançait à la blague: «Un délicieux morceau de chocolat passe une minute dans notre bouche, une heure dans notre estomac et... toute une vie sur nos hanches!» À écrire quelque part, bien à la vue.

UTILISEZ LE TÉLÉPHONE

Si vous êtes seule à la maison ou au travail et que ça ne va vraiment pas, car vous sentez que vous risquez de ne pas respecter votre régime, ou si, depuis déjà plusieurs jours, vous vous efforcez de ne pas succomber à la nourriture et que vous pensez ne plus pouvoir tenir le coup, c'est le moment de vous servir du téléphone et de lancer un appel à l'aide. Qu'il s'agisse de membres de votre famille, de l'une de vos meilleures amies ou de votre conjoint qui est au travail, toutes ces personnes devraient être informées que vous tentez de corriger votre vilaine habitude et qu'il peut vous arriver d'avoir à leur demander de l'aide. N'hésitez pas à téléphoner à l'un d'entre eux et incitez la personne au bout du fil à vous encourager à poursuivre votre lutte. Puis, faites bifurquer la conversation sur un autre sujet et vous constaterez rapidement que vous ne penserez plus à manger.

FAITES DE L'EXERCICE

Si vous êtes plutôt du genre sédentaire et que vous n'êtes pas particulièrement portée sur l'exercice ou sur le sport, il faut que vous sachiez jusqu'à quel point cela peut vous être bénéfique, même si vous ne vous appliquez pas à faire plusieurs activités. Je ne me considère pas comme une sportive, loin de là. J'ai déjà fait du ski alpin, j'ai joué au volley-ball à une certaine époque et j'ai aussi fait de la natation. Je suis membre d'un centre de conditionnement physique, mais je manque souvent de temps... ou peut-être de motivation pour m'y rendre afin de m'y entraîner. L'été, ma passion, le jardinage, me tient passablement occupée et cela vaut bien, parfois, tout autre exercice comme la marche ou la bicyclette. Par contre, j'ai pris l'habitude, autant que faire se peut, de faire chaque jour une promenade en compagnie de mon mari, au début ou en fin de soirée. Ce moment, qui peut parfois durer entre trente minutes et une heure, nous permet de discuter de choses et d'autres en marchant d'un bon pas, tout en regardant, l'été, l'aménagement paysager des voisins, ou les décorations lorsqu'arrive l'Halloween ou le temps des fêtes.

Vous avez faim? Oubliez votre fringale et allez prendre l'air, en inspirant profondément et en expirant bien. Si vous essayez de bouger un peu, de faire du sport ou de vous adonner à une activité quelconque qui nécessite un effort musculaire, vous en ressentirez les effets bénéfiques assez rapidement. De plus, ne perdez pas de vue que vous brûlerez ainsi des calories, ce qui vous permettra de perdre du poids, si tel est votre objectif, et aura un effet très encourageant.

ADOPTEZ LE SYSTÈME DE RÉCOMPENSES

Résister à la tentation n'est pas toujours une chose facile. Il m'est arrivé, alors que je venais à peine de prendre une première bouchée dans un morceau de gâteau, de le regretter déjà. Mais le processus semblait enclenché, irréversible, et le gâteau est disparu dans mon estomac. L'un des trucs que j'utilise aujourd'hui à l'occasion, pour éviter le même comportement, est le système de récompenses. Idéalement, je mets les chances de mon côté en n'ayant pas à la maison d'aliments qui pourraient m'inciter à succomber. Mais si l'attrait de la collation devient trop présent à mon esprit, je me conditionne à résister en pensant à mon système de récompenses. Il faut, bien sûr, faire preuve d'honnêteté afin de ne pas fausser les données, mais voilà comment ça fonctionne: je me dis, par exemple, que si je résiste à une très grosse tentation, si je suis bien sage et que je parviens à éviter cet excès, je me permettrai dans quelques heures, ou le lendemain, une récompense, un cadeau qui me tient à cœur et qui me fera vraiment plaisir. Ce peut être un magazine de décoration, une bouteille de mousse pour le bain ou un roman que je désire acheter depuis un moment, ou encore tout autre plaisir de la vie.

Il n'est pas nécessaire de faire un achat quelconque; ce peut aussi bien être le fait de rendre une visite surprise à un être cher, d'aller flâner dans un endroit qui nous procure beaucoup de satisfaction, dans un jardin fleuri, par exemple. Le système de récompenses fait partie des thérapies comportementales qui sont souvent mises de l'avant par les spécialistes pour aider les gens qui sont aux prises avec différents problèmes.

VIVEZ 24 HEURES À LA FOIS

Vingt-quatre heures à la fois est la maxime des Alcooliques anonymes, mais elle est aussi utilisée par une foule d'autres gens afin d'être plus en mesure de faire face aux différents problèmes qui peuvent surgir dans leur vie. En vivant 24 heures à la fois, en prenant les choses les unes après les autres, vous avez certainement plus de chances de réussir et d'arriver à des résultats que si vous regardez tous vos problèmes de front. À ce moment, cela peut vous paraître une montagne insurmontable, et vous vous demandez bien comment vous pourrez en venir à bout.

Pensez à vivre intensément votre journée, à faire en sorte que lorsque vous vous mettrez au lit, vous serez fière de vous, de ce que vous avez accompli au cours des dernières heures. J'ai appris, avec le temps, qu'il ne servait absolument à rien de se casser la tête pour des événements qui font déjà partie du passé. On peut évidemment éprouver des regrets, de la peine, mais personne ne peut modifier ce qui est passé. Prenez les journées les unes après les autres, évitez de vous poser des questions et de vous efforcer d'imaginer où vous en serez dans dix ans ou dans quel état vous serez.

Demandez-vous plutôt ce que vous voulez faire maintenant, pour vous, pour ceux qui vous entourent, et projetez dans le temps ce que serait pour vous une vie meilleure avec tous ceux que vous aimez. Faites cet exercice pour les douze mois qui viennent. Après tout, la tradition des résolutions du jour de l'An peut s'appliquer chaque jour ou à n'importe quelle période de l'année. Dressez une liste de projets à court terme.

Comme vous le voyez, je reviens toujours à l'écriture; ce fut une révélation pour moi et un magnifique passe-temps. Vous constaterez que cette façon de voir les choses vous permettra d'avoir des objectifs plus réalistes et plus abordables, et nécessitera de votre part des efforts un peu moins difficiles.

COMMUNIQUEZ

L'un des trucs énumérés dans ce chapitre consiste à utiliser le téléphone pour obtenir de l'aide. C'est un fait que la communication est un atout majeur pour vous permettre d'atteindre vos objectifs. Si vous n'êtes pas seule à la maison, verbalisez vos émotions, exprimez à celui ou à ceux qui sont près de vous ce que vous ressentez. Puisque ce sont, dans bien des cas, des problèmes qui vous hantent et qui vous incitent à manger vos émotions, il faut que vous puissiez vous vider le cœur, en parler à quelqu'un afin de décharger votre trop-plein d'émotions.

En plus des amis, des parents et des collègues de travail, il existe des centres d'écoute pour personnes aux prises avec différents problèmes. Il faut évaluer, dans notre cas, de quelle écoute nous avons besoin. Vivons-nous une situation particulière par rapport à nos adolescents, à notre vie de couple? Éprouvons-nous des problèmes financiers? Consultez aussi les programmes d'aide aux employés (PAE) de votre entreprise. Plusieurs entreprises ou organismes ont investi dans un tel programme offert à leur personnel et aux membres de leur famille. N'hésitez pas à le consulter, il peut vous venir en aide et vous permettre d'améliorer votre comportement au travail ou dans la vie courante; il soutient également les personnes aux prises avec des problèmes psychologiques, d'alcoolisme, de drogue ou ayant des difficultés d'ordre physique ou mental. Ces programmes offrent l'aide de conseillers financiers, matrimoniaux, d'intervenants auprès des jeunes et de la famille. Je m'adresse ici à celles pour qui manger leurs émotions est plus qu'un problème de nourriture.

ENTRETENEZ LA COMPLICITÉ AVEC VOTRE CONJOINT

Puisqu'il est question de communication, il faut que la personne la plus importante, celle qui peut vous aider, votre conjoint, soit avertie du fait que vous tentez de cesser de manger vos émotions. Vous serez certainement d'accord qu'il est passablement difficile de résister à la tentation de manger des croustilles si la personne assise à vos côtés se le permet! Demandez-lui de vous aider, de vous encourager, de parler avec vous lorsque vous en ressentez le besoin. Comme pour le bienfait que vous trouverez en vous jetant sur votre cahier d'émotions, faites part à votre conjoint de vos émotions, de ce qui vous inquiète, vous décourage, vous obsède. L'opinion d'une personne proche, qui vous connaît, pourra sans aucun doute vous être d'un grand secours.

Vous pouvez également conclure un pacte avec votre conjoint, par exemple: «Si j'ai tendance à vouloir manger quelque chose d'engraissant, fais-le-moi savoir.» Cela fonctionne pourvu qu'il n'aille pas trop loin et qu'il ne vous tape pas trop sur les nerfs...

LÂCHEZ PRISE

Quand on est aux prises avec une trop grosse émotion, quelque chose qui nous bouleverse, qui nous met dans tous nos états, il est parfois inutile de vouloir maîtriser l'émotion et de se battre à tout prix pour la contrôler.

On se doit alors de tenter de mettre de l'ordre dans nos idées, d'établir des priorités et de trouver une autre source de satisfaction que la nourriture. Surtout, il faut prendre le temps de faire le point: la tentation est souvent forte, aussitôt qu'on est submergé par nos émotions, de ne faire ni une ni deux et de se jeter sur tout ce que l'on peut trouver d'appétissant pour se satisfaire. Donnez-vous le temps d'analyser et de laisser passer quelques minutes, ce qui devrait vous permettre de reprendre un certain contrôle et de faire face à la situation plus sereinement.

Si vous êtes seule et considérez que cela peut vous faire du bien si vous l'avez déjà expérimenté, n'hésitez pas à pousser un grand cri afin de chasser un peu de tension. Les exercices de respiration peuvent également s'avérer fort efficaces. Prenez une grande inspiration et expirez tout doucement en faisant intérieurement un compte à rebours de 15 à 0, en tentant de faire le vide, de ne penser à rien. Répétez l'expérience à une ou deux reprises, en respirant lentement, et vous constaterez un effet apaisant.

CHAPITRE 5
Modifier
son attitude...

Afin de comprendre les comportements que nous entretenons aujourd'hui avec la nourriture, il faut d'abord effectuer un retour en arrière, au plus profond de notre passé. Comme nous en faisions état au chapitre 3, la plupart des spécialistes l'affirment: nous sommes généralement aujourd'hui le résultat de ce que nous avons été. À compter du premier moment où, bébé, nous avons mangé pour la première fois, nos habitudes alimentaires n'ont pas cessé de se développer et un ou plusieurs facteurs peuvent aujourd'hui expliquer pourquoi nous avons développé une relation de dépendance vis-à-vis de la nourriture, en particulier pour certains aliments.

Si, lorsque vous étiez enfant, on vous a habituée à manger régulièrement des légumes, on vous a appris à aimer le steak apprêté de différentes façons, il y a de grandes chances pour que ces aliments fassent maintenant partie de votre quotidien. Malheureusement, ce raisonnement s'applique également à propos de tous ces aliments qui sont les ennemis de toutes celles qui désirent contrôler leur poids. Certaines situations traumatisantes peuvent avoir profondément marqué quelques-unes d'entre nous qui, dès leur jeune âge, afin de se sécuriser, ont trouvé un réconfort dans la nourriture. Et lorsqu'on veut se faire plaisir quand on est enfant, ce n'est habituellement pas vers des choses saines que l'on se tourne. On choisit généralement ce qui nous est agréable au goût, ce qui nous procure beaucoup de satisfaction comme le chocolat, les bonbons et autres aliments du genre. Si vous avez vraiment vécu un événement traumatisant et que vous croyez que la seule façon de régler votre comportement vis-à-vis de la nourriture est de consulter un spécialiste, n'hésitez pas une seconde. Vous apprendrez à faire la paix avec vous-même, à pardonner à ceux qui vous ont fait du mal et à mieux gérer, à l'intérieur de vous, cette situation qui est à l'origine de vos problèmes.

Toutefois, un fait demeure: nos habitudes, nos goûts, nos façons de réagir et nos comportements sont bien ancrés en nous et il faut, si l'on désire modifier certaines choses dans notre vie, s'efforcer d'entrer de nouvelles données à l'intérieur de notre cerveau. Ce n'est pas une chose facile, mais c'est possible avec de la volonté.

Plusieurs femmes de ma génération — j'ai 43 ans — ont grandi dans un système de punition-récompense. L'une des punitions les plus communes était, bien sûr, d'être privée de dessert. Dans plusieurs foyers québécois, combien de fois a-t-on entendu la phrase suivante: «Tu n'as pas mangé toute ta viande, t'auras pas de dessert.» Catastrophe! Dans une maison où les sucreries avaient leur place, où des desserts pas toujours très légers étaient servis, c'était la punition ultime pour les enfants. On pouvait également menacer l'enfant d'aller au lit plus tôt, de ne pas l'autoriser à regarder son émission de télévision préférée ou de lui défendre d'aller jouer avec ses amis et l'envoyer réfléchir dans sa chambre.

La récompense, elle, prenait souvent la forme d'une sucrerie ou d'un dessert. «Mange tous tes légumes (ou toute ta viande) si tu veux avoir du dessert» est certainement une phrase qui a retenti souvent lorsque parents et enfants se mettaient à table. Encore de nos jours, des parents utilisent le même système, ce qui permet ainsi aux sucreries et aux gâteries diverses d'être littéralement mises sur un piédestal par les enfants. Selon plusieurs spécialistes, aujourd'hui, le sucre devrait être complètement banni de notre alimentation, particulièrement de celle des enfants afin de bien préparer leur avenir alimentaire et d'éviter qu'ils mangent mal et qu'ils prennent de mauvaises habitudes.

LES CHOIX QUE NOUS FAISONS
POUR NOS ENFANTS

Pour ma part, j'ai dû continuellement faire des efforts pour inculquer de bonnes habitudes alimentaires à ma fille Julie, aujourd'hui âgée de 20 ans. Tout comme mes parents en avaient l'habitude lorsque j'étais enfant, j'essayais de ne pas trop la gâter avec des sucreries. Je les gardais pour les occasions spéciales, autant que possible. Et puis, je ne voulais pas que ma fille développe un goût exagéré pour ces aliments. Il faut dire que lorsqu'on élève seule son enfant, les ressources financières sont généralement assez limitées, pour ne pas dire extrêmement restreintes. C'était du moins mon cas. La logique nous incite alors à acheter des aliments sains, si on est le moindrement préoccupée par l'importance d'une bonne alimentation pour son enfant.

Par contre, avouons que la facilité peut souvent prendre le dessus. Les sandwichs, les tartines, les mets préparés ou congelés sont à la portée de la main, surtout lorsqu'on travaille à temps plein et que les lunchs du midi et les repas du soir se font en vitesse. Dans mon cas, il est certain que la tentation était forte de tomber dans le «vite fait» et je n'y échappais pas, bien sûr. Mais je voulais tout particulièrement éviter à Julie les problèmes que je vivais; je ne désirais surtout pas qu'elle néglige son alimentation pour ensuite succomber à une crise de grignotage comme j'en avais l'habitude.

Comme tous les enfants, Julie a toujours aimé les sucreries, mais elle a su prendre conscience, au fil des ans, de l'importance de bien s'alimenter. Je pourrais également ajouter qu'heureusement, elle n'a pas l'habitude de manger ses émotions; elle et moi avons toujours accordé beaucoup d'importance à la communication. Elle a pris l'habitude d'extérioriser ses émotions, ce qui, j'en suis convaincue, l'aide grandement à être bien dans sa peau. C'est une grande satisfaction de voir que les efforts déployés pour bien élever son enfant n'ont pas été vains. Je suis fière qu'elle soit devenue aujourd'hui une jolie jeune femme, saine et en santé. Un jour, lorsqu'elle aura un enfant, je n'ai aucun doute qu'elle saura à son tour faire en sorte que son bébé prenne, entre autres, l'habitude de bien se nourrir.

DES CHANGEMENTS POSSIBLES

Lorsqu'on se rend compte qu'on a de la difficulté à négocier avec nos émotions et que cela se traduit souvent par une hausse de poids, il ne faut pas se résigner et tenir pour acquis qu'il en sera ainsi pour le reste de ses jours. Les émotions peuvent être contrôlées et les comportements peuvent également être modifiés; il s'agit simplement d'être fermement décidée à prendre le taureau par les cornes.

Comme toute autre chose, je crois qu'il ne faut pas, cependant, vouloir tout chambarder en même temps. C'est souvent lorsqu'on agit ainsi que nos grands projets s'effondrent et que les belles promesses qu'on s'était faites s'envolent en fumée. Il faut être patiente, confiante et déterminée. On ne fait pas de rénovations dans sa maison en même temps qu'on la décore et qu'on s'apprête à recevoir des invités pour une fête. On y va par étape, jour après jour, petit à petit, lentement mais sûrement.

Dans le chapitre précédent, nous avons passé en revue quelques trucs qui peuvent être utilisés pour tenter de mettre fin à ces envies de grignoter. Ce serait formidable si, comme moi, vous réussissez à en mettre un ou plusieurs en pratique pour vous aider à vous contrôler, mais, au fond, nous savons fort bien que le problème est beaucoup plus profond que cela.

Attaquons-nous d'abord à nos habitudes alimentaires. Trop souvent attendons-nous d'être repoussée dans nos derniers quartiers avant de nous décider à modifier nos habitudes alimentaires ou à rayer quelques aliments nocifs de notre menu. Les raisons que l'on se donne pour ne pas passer à l'action sont classiques: «Je n'ai pas de volonté», «Je n'ai pas le temps de me préparer de bonnes choses», «J'aime trop manger de ceci ou de cela...», «Dans la vie, je n'ai qu'un seul plaisir: manger!», etc. C'est souvent lorsqu'on constate qu'on n'a plus le choix, qu'on est acculé au mur, que l'on décide d'agir. Par surcroît, ce sont souvent des motifs négatifs qui nous incitent à modifier notre alimentation. Les raisons peuvent être diverses: on peut éprouver des problèmes de santé, ce que l'on voit dans le miroir le matin nous déplaît, ou encore on se fatigue d'avoir à entendre tous ces commentaires désobligeants sur notre personne et qui, bien souvent, prennent l'allure de bonnes blagues.

Je pense qu'en tout premier lieu, on devrait entreprendre d'apporter des corrections à notre alimentation quotidienne, et ainsi perdre du poids, pour des raisons positives. Cela peut être parce qu'on vient de rencontrer un homme qui fait battre notre cœur à une vitesse folle ou parce qu'on se promet de se gâter en allant magasiner; chacune d'entre vous peut se trouver des raisons multiples pour passer à l'action.

L'ORGANISATION

Nous menons, pour la plupart, un rythme de vie trépidant. Partagées entre le travail, la vie de couple, l'éducation des enfants, l'entretien de son chez-soi, les amis, les parents, les différentes activités sociales et les loisirs, on a souvent la désagréable impression de manquer de temps pour faire tout ce que l'on désire. Le dimanche soir, lorsque je me mets au lit, je me dis souvent que le week-end a filé en un rien de temps et que je n'ai pas fait la moitié des choses que je m'étais promises. C'est une question d'organisation, bien sûr, mais il demeure que le temps passe à vive allure. Au travail, plusieurs d'entre nous se contentent parfois de manger en vitesse, sur le coin d'un bureau, parce qu'une somme de travail considérable nous attend et qu'on veut en venir à bout. Encore là, le mot clé est «organisation».

Si vous êtes désorganisée dans votre vie, que vous avez toujours l'impression d'être à la course, d'être comme un chien qui court après sa queue, il y a de grandes chances que votre alimentation soit également désorganisée. J'ai moi-même compris que, dans mon cas, le mythe de la *superwoman* était... justement un mythe! Je me suis rendu compte, avec le temps, que j'avais l'habitude de m'en mettre beaucoup trop sur les épaules, à la maison ou au travail, et que je ressentais souvent une insatisfaction profonde et une frustration de ne pas avoir réussi à tout accomplir ce que je m'étais fixé au départ. Déjà qu'au travail, on nous en met bien souvent un peu trop sur les épaules et qu'on arrive parfois de justesse à être à la hauteur, s'il faut qu'en plus on en arrive à se stresser avec nos activités extérieures, la soupape va sauter! Voilà certes une bonne raison de manger ses émotions, n'est-ce pas?

Nous faisons souvent la même erreur, nous nous fixons des objectifs tellement élevés qu'ils en deviennent inaccessibles. Nos déceptions sont alors cruelles, et d'autant plus dures à accepter.

L'ÉCRITURE À VOTRE RESCOUSSE

Nous parlions, dans le chapitre précédent, de l'importance d'écrire; je vous suggère de faire l'exercice suivant qui vous aidera peut-être à mettre un peu d'ordre dans votre vie, à mieux vous organiser. Nous verrons un peu plus loin comment le même type d'exercice pourra vous être utile en ce qui concerne votre alimentation.

Le soir, avant d'aller au lit, prenez une feuille de papier et un crayon, et tracez le nombre de colonnes qui vous convient, selon vos préoccupations et votre rythme de vie. Par exemple, vous pouvez séparer la feuille en cinq colonnes et y inscrire dans le haut de chacune: «Travail», «Maison», «Amour», «Enfants et famille», «Courses». Dans chacune des colonnes, notez uniquement deux choses importantes que vous devez absolument faire le lendemain. Cela peut être, par exemple sous la colonne «Enfants et famille», de téléphoner à votre sœur pour l'inviter pour le week-end, ou encore, dans la colonne «Courses», d'aller acheter de la nourriture pour le chien. Limitez-vous, au départ, à seulement deux choses à accomplir par colonne, et le lendemain, ayez cette feuille à la portée de la main afin de pouvoir la consulter et de vous assurer que vous n'oubliez rien. En fin de journée, lorsque viendra le temps de vous mettre au lit, consultez votre feuille et inscrivez, dans chacune des colonnes, les choses que vous jugez importantes et que vous avez faites au cours de la journée mais que vous n'aviez pas inscrites sur votre feuille la veille. Vous serez surprise de voir que vous en avez réalisé beaucoup plus que prévu au cours de la journée, et vous ressentirez beaucoup de satisfaction.

Répétez le même exercice tous les soirs, puis, peu à peu, augmentez à trois le nombre de choses à faire sous chacune des colonnes de votre feuille. Allez-y à votre rythme, ne vous pressez pas pour augmenter la quantité de vos tâches. L'objectif n'est pas, en bout de ligne, d'augmenter à dix ou à quinze le nombre de choses à faire sous chacune des colonnes, mais plutôt de vous stimuler et, surtout, de vous aider à mieux vous organiser.

Si vous êtes abonnée à un centre d'activité physique, vous savez fort bien que lorsqu'on n'y a pas mis les pieds depuis un certain temps, il ne sert à rien de vouloir s'entêter, coûte que coûte, à faire de la bicyclette stationnaire durant au moins vingt minutes dès votre arrivée: vous n'y parviendrez pas. Tout ce que vous réussirez à faire sera de vous épuiser et, fort probablement, de vous décourager, ce qui vous incitera peut-être encore plus à espacer vos visites.

N'oubliez pas de faire l'exercice d'écriture au cours du week-end, en modifiant les thèmes de vos colonnes. Ainsi, vous pourriez avoir des thèmes tels que: «Courses», «Jardinage», «Entretien ménager», «Amour», etc. Le thème «Amour», soit dit en passant, peut comporter plusieurs significations. Cela peut signifier, si vous avez un conjoint, de prévoir de petits moments intimes avec lui, de vous réserver des moments agréables ensemble. Cela peut aussi tout simplement vouloir dire de lui porter un peu plus d'attention, de prendre le temps de dialoguer avec lui. Mais l'amour, c'est aussi, selon moi, l'amour que l'on se porte à soi-même et les petites attentions que l'on se réserve afin de mieux se sentir dans sa peau et de s'apprécier davantage. Cela peut aussi bien inclure un bon bain mousse, un massage à notre clinique santé-beauté préférée, une visite chez la coiffeuse ou chez l'esthéticienne. Se faire faire simplement les ongles par une amie, pendant une heure, est également une excellente source de bien-être.

Si vous vivez seule, rien ne vous empêche de vous offrir ces petites gâteries et de vous faire plaisir, mais, habituellement, vous ne pouvez compter que sur vous pour accomplir différentes tâches mentionnées précédemment comme les courses, l'entretien ménager, etc.

Toutefois, si vous avez un conjoint, un ou des enfants, n'hésitez pas à leur demander de vous aider à faire des choses. Après tout, vous vivez ensemble; l'organisation de la vie familiale et de toutes les tâches quotidiennes ne doivent pas uniquement reposer sur vos épaules. Si tel est le cas, il est grandement temps que vous convoquiez tout votre monde pour établir clairement que chacun doit y aller de ses efforts, que vous n'avez pas à supporter seule la pression et le stress de devoir tout accomplir pour tout un chacun.

PRENDRE LE TEMPS

Si vous êtes mieux organisée au jour le jour, vous devriez en principe retirer beaucoup plus de satisfaction lorsque vous constaterez que vous atteignez vos objectifs. Vous serez fière de vous et, chaque soir, lorsque vous ferez le bilan de votre journée, vous trouverez plusieurs raisons de vous féliciter.

Lorsque votre emploi du temps sera mieux structuré, vous aurez sûrement l'impression de profiter un peu plus de la vie. De votre réveil jusqu'au moment de vous glisser sous les couvertures, le soir, vous constaterez que les secondes, les minutes et les heures ne vous fileront plus entre les doigts comme auparavant. Vous aurez un peu plus de temps pour vous, et, surtout, vous pourrez davantage profiter de la vie et des bons moments qu'elle peut vous apporter.

Voilà un thème qui m'est très cher: prendre le temps, prendre le temps de vivre intensément, de savourer chaque instant qui passe. Je crois qu'on ne pense jamais assez à la chance qu'on a d'être en vie, d'être entourée de personnes que l'on aime. Trop souvent, la dure réalité de la vie se charge de nous rappeler que tout notre bonheur ne tient parfois qu'à un fil.

En juillet 1997, maman est décédée, victime d'un cancer. Nous savions tous qu'elle était malade, qu'elle souffrait beaucoup, mais jamais nous n'aurions cru que son état se détériorerait aussi rapidement. Durant toute la durée de son hospitalisation, elle ne s'est jamais plainte, elle a toujours été sereine même si elle savait pertinemment que la fin était proche. C'est en faisant preuve de beaucoup de courage qu'elle s'est préparée à nous quitter. Son départ fut très difficile à accepter et il l'est encore aujourd'hui; nous avions tant de choses à nous dire et de bons moments à passer ensemble... Je m'ennuie de toi, Mamie!

CHANGER SES PRIORITÉS

Un tel bouleversement dans notre vie, je vous le jure, remet les valeurs et les priorités à la bonne place assez rapidement. En premier lieu, on se soucie évidemment de sa santé; on s'inquiète, on consulte un médecin au moindre petit malaise et l'état de santé de nos proches nous préoccupe. Par-dessus tout, on prend conscience à quel point tout peut basculer du jour au lendemain, sans qu'on s'y attende. Parlez-en aux personnes victimes d'un accident vasculaire cérébral, qui sont impliquées dans un accident d'automobile et qui demeurent handicapées, ou à celles qui apprennent de leur médecin qu'elles n'en ont que pour quelques mois, au plus un an, à vivre parce qu'un cancer les ronge.

C'est alors qu'on constate qu'on a souvent tendance à accorder beaucoup trop d'importance à des choses banales et parfois insignifiantes qui, tout compte fait, n'en valent pas vraiment la peine. Malheureusement, on réagit lorsqu'un malheur vient d'arriver, lorsqu'une situation grave nous saute au visage et concerne un proche parent ou une connaissance. Croyez-moi, il ne faut pas attendre pareille catastrophe pour être consciente de ce que l'on vit et pour prendre soin de nous et de nos proches.

Pour une foule de banalités, on se stresse inutilement, on dépense quantité d'énergie pendant qu'on néglige l'essentiel, soit de vivre intensément sa vie, d'avoir du plaisir et d'être bien dans sa peau. C'est à la fois dramatique et triste de prendre conscience que plus les années passent, plus on voit des gens autour de nous disparaître. Arrivé à un certain âge, on constate avec effroi qu'il nous reste très certainement moins de chemin à parcourir qu'on en a fait jusqu'à maintenant. C'est à ce moment-là qu'il est utile de faire appel à la pensée positive.

On ne doit pas s'accrocher au passé si ce n'est que pour en retirer une leçon qu'on s'efforcera d'appliquer pour le respect de soi. Apprendre à se respecter: voilà une des valeurs les plus importantes qui soient. La dignité et le sens de l'honneur ne doivent pas perdre leur place en aucun temps.

Lorsque je profite de bons moments et que je vis une situation privilégiée qui me procure beaucoup de bonheur, je prends le temps de penser et de me dire, parfois à voix haute, à quel point je suis heureuse, là, en ce moment, et comment je me sens bien. La satisfaction que cette constatation me procure ne fait qu'ajouter au moment de bonheur que je vis à cet instant-là.

On apprécie évidemment beaucoup plus la vie lorsqu'on a pris les dispositions pour ne plus être désorganisée dans son emploi du temps, afin de pouvoir justement consacrer le plus de temps possible à l'essentiel. J'essaie, désormais, de vivre au jour le jour et d'être fière de moi tout en éloignant le plus possible les ondes négatives et toutes ces petites choses qui peuvent m'empoisonner l'existence. Et parmi celles-ci, il y a, bien sûr, cette malheureuse habitude de manger mes émotions.

UN PEU DE VOLONTÉ

Nous savons fort bien qu'il y a des choses sur lesquelles nous n'avons pas de pouvoir décisionnel et d'emprise, notamment les accidents et les malchances de toutes sortes. Plus concrètement, nous n'avons pas le choix non plus de payer notre loyer, nos comptes et d'acheter des vêtements et des choses pour les enfants et la maison. Mais, justement, lorsqu'il est question d'effectuer des achats, rien ne nous oblige à nous rendre dans un magasin plutôt que dans un autre. Rien ne nous force à choisir un pull bleu plutôt que vert. Nous prenons la décision finale, nous décidons, en dernier ressort, de ce qui nous convient le mieux. Personne ne m'obligerait, le matin, à porter des vêtements qui ne me conviennent pas, dans lesquels je ne suis pas à mon avantage. Si c'est le cas, ce sera moi qui l'aurai décidé. Il y a de ces journées...

La coquetterie est l'une des grandes caractéristiques que possèdent la plupart des femmes. On veut paraître à son mieux et on fait en sorte que les couleurs des vêtements que nous portons soient bien agencées. Bref, nous ne portons pas n'importe quoi. La même chose est vraie, dans mon cas, pour mes cheveux: personne ne me forcerait à mettre les pieds dehors pour aller faire des emplettes si j'avais les cheveux sales ou décoiffés. Je crois que c'est, avant tout, une question de respect envers soi-même ainsi qu'envers les autres.

Maintenant, dites-moi pourquoi nous n'agissons pas de la même façon lorsqu'il est question de nourriture. Si nous savons, dans notre cas par exemple, qu'une jupe rouge ne nous avantagera pas, pourquoi mangeons-nous des croustilles alors que nous sommes certaine qu'elles ne feront qu'en sorte de nous empêcher de porter la même jupe rouge parce qu'on pourrait nous confondre avec un camion d'incendie? J'exagère, bien sûr, mais il y a quand même lieu de se demander pourquoi nous sommes souvent méticuleuse lorsqu'il est question de nous vêtir, de nous coiffer, d'être bien maquillée, et que nous n'avons pas la volonté voulue pour nous empêcher de manger tous ces aliments qui nous font prendre du poids. Tout cela, encore une fois, s'avère une question de priorités pour chacune d'entre nous, mais si vous avez vraiment l'intention de résoudre votre problème, il faut que vous fassiez preuve de détermination et que vous vous jetiez à l'eau.

Surtout, ne baissez pas les bras dès le départ, avant même d'avoir décidé d'entreprendre un régime amaigrissant ou de contrôler ces pulsions qui vous poussent à manger vos émotions. Comme les fumeurs qui ont bien de la difficulté à mettre un terme à leur habitude du jour au lendemain, il vous sera peut-être difficile de dire non à la nourriture, de résister à des années d'habitudes alimentaires. C'est tout à fait normal. Il est aussi possible qu'en mettant en pratique un ou quelques trucs énumérés au chapitre 4, vous ne parveniez pas, au premier essai, à vous empêcher de manger. L'important est de faire les premiers pas, d'utiliser tous les trucs possibles afin de réussir, sans pour autant penser que cela se fera en un clin d'œil.

J'ai souvent vu, dans mon entourage, sans doute comme vous, des personnes qui décidaient de perdre quelques kilos et qui s'astreignaient à une alimentation très stricte et, surtout, minime. Elles s'efforcent de nous convaincre, comme pour s'en convaincre elles-mêmes, qu'elles font une croix sur les aliments gras, les pâtisseries et les desserts, le *junk food* et autres aliments qui font habituellement partie, jusqu'à un certain point, de leur alimentation.

Ne vous méprenez pas, ces personnes sont vraiment de bonne foi, mais leur méthode est un peu trop radicale. Elles tentent bien souvent de suivre un régime amaigrissant de leur cru, se disant qu'elles savent fort bien quels sont les aliments qui leur sont néfastes et qui leur font prendre du poids.

LE FAMEUX LUNDI...

À compter du lundi matin — c'est classique, on décide souvent de se mettre au régime un lundi! —, on se prive de tout ce qu'on aime, en espérant des modifications draconiennes à notre ligne, et ce, en quelques jours seulement. Nous mangeons comme de vrais oiseaux! Un substitut de repas, une salade, beaucoup d'eau, un autre substitut de repas, et voilà! on se croit partie pour la gloire. Vous connaissez la suite, bien sûr! Après deux ou trois jours, nous craquons et nous nous précipitons sur à peu près tout ce que nous pouvons trouver à manger, particulièrement des sucreries de toutes sortes.

Je ne suis pas plus «fine», j'ai souvent tenté l'expérience pour m'apercevoir finalement que cette méthode était inévitablement vouée à l'échec. Si je désirais aujourd'hui adopter un régime amaigrissant, j'aurais tendance à aller voir une nutritionniste ou un regroupement connu afin de m'assurer d'avoir une alimentation équilibrée qui me permettrait de perdre lentement mais sûrement du poids, tout en modifiant mes habitudes alimentaires. Mais pour ce qui est de contrôler mes émotions, de ne plus compenser à l'aide de la nourriture, je mets en application quelques-uns de mes trucs pour y parvenir.

Lorsqu'on décide d'essayer de contrôler ses émotions et ses passions dévorantes ou de suivre un régime amaigrissant, il faut y aller par étape. Pensez que si vous décidez d'apprendre à faire du patin sur glace, vous ne deviendrez pas, en une journée, une excellente patineuse. Mais vous ne demeurerez pas là, plantée debout, à attendre que le vent vous pousse! Vous allez avancer, prudemment, puis vous laisser glisser, faire un autre pas, et ainsi de suite. Il est possible que vous tombiez, mais vous vous relèverez et finirez par vous débrouiller assez bien sur patins en y mettant les efforts voulus.

La situation est sensiblement semblable en ce qui concerne les changements que l'on décide d'apporter à notre alimentation. L'exemple est également valable pour toute autre activité à laquelle on décide de s'adonner. Lorsque j'ai commencé à faire de la couture, j'ai commis bien des erreurs et maman a dû me donner plusieurs conseils avant que je parvienne à me débrouiller convenablement. Elle a même parfois terminé le travail à ma place, jusqu'à ce que je prenne confiance. Je ne suis pas devenue, par magie, en moins de temps qu'il n'en faut pour le dire, une bonne couturière.

C'est exactement la même chose lorsqu'on décide d'essayer de ne plus manger ses émotions. Laissez-moi vous raconter une expérience personnelle. Il y a quelques années, j'étais à la maison avec ma fille qui était déjà au lit. Je regardais la télévision lorsque j'ai eu soudain terriblement envie de me précipiter sur le sac de croustilles, qui était dans le garde-manger. Je me répétais dans mon for intérieur: «Non,

non, non, ça n'a pas de sens. » Cependant, je me disais aussi, du même souffle: «Mais ce serait tellement bon!» N'y tenant plus, afin de m'empêcher de céder à la tentation, je me suis levée d'un bond, j'ai saisi le sac tout neuf de croustilles et je suis allée le porter aux ordures, à l'extérieur de la maison. J'étais fière de mon coup, j'étais fière de moi. Je suis retournée m'asseoir devant le téléviseur mais, moins de vingt minutes plus tard, incapable de me contrôler, je suis ressortie à l'extérieur pour aller chercher dans la poubelle mon sac de croustilles!

C'est en repensant à des défaillances comme celles-là que l'on se rend compte à quel point on peut souvent être extrémiste. C'est souvent tout ou rien: ou bien on mange comme si notre vie en dépendait, ou bien on se prive totalement. Pourquoi, dites-moi, ne pourrait-on pas arriver à trouver un juste milieu? Pourquoi, lorsque vous avez une fringale, ne pouvez-vous pas vous contenter de quelques bouchées?

La morale de cette histoire: il est vrai que les émotions peuvent se contrôler et il est également possible de modifier son alimentation, mais de façon graduelle. Vous obtiendrez des résultats si vous faites preuve de patience, si vous vous donnez la chance d'atteindre vos objectifs. Privée du jour au lendemain des choses que vous aimez, vous ressentirez beaucoup de frustration et il y a fort à parier que vous retomberez rapidement dans vos vieilles habitudes.

CHAPITRE 6

AVANT TOUT ÊTRE bIEN dANS SA pEAU

Nous prenons conscience avec le temps, à un moment ou à un autre et peu importe ce que nous désirons accomplir, que nous obtenons toujours de meilleurs résultats lorsque nous sommes bien dans notre peau. Cela va tant sur le plan personnel que professionnel. Un vieux cliché, soit, mais c'est tellement vrai.

La plupart d'entre nous côtoient fréquemment des gens angoissés ou frustrés qui ont visiblement peu confiance en eux, qui ne sont pas satisfaits de leur situation et qui n'acceptent pas leur sort. Bref, ils ne sont pas bien dans leur peau et ne se gênent pas pour l'afficher. Peut-être en voyez-vous même tous les jours autour de vous, lors de vos activités sociales, au travail ou même à la maison. Ils sont généralement en rogne contre tout ou rien et arrivent difficilement à décompresser. De par leur comportement et leur attitude, ils sont carrément déprimants; ils viennent nous gruger de l'énergie avec tous leurs problèmes et parfois même seulement par leur attitude.

Heureusement, nous avons également, dans notre entourage, des personnes qui sont bien diffé-rentes, qui nous paraissent afficher une belle paix inté-rieure. Elles semblent confiantes pour dix et, parfois, simplement à leur manière de bouger et de se vêtir, elles nous donnent l'impression de posséder une détermination à toute épreuve. On les envie parce qu'elles sont généralement de celles qui réussissent bien, qui mènent une vie qui peut paraître, pour les autres, absolument inaccessible.

De quel groupe faites-vous partie? Vous situez-vous à mi-chemin entre les deux groupes? Manquez-vous de confiance en vous et êtes-vous «cataloguée» comme une personne qui a toujours des problèmes et qui n'est pas bien dans sa peau? Si tel est le cas, vous devez entreprendre de remédier à la situation.

Comment pourriez-vous aimer les gens qui vous entourent et être absolument à l'aise avec les autres si vous n'êtes pas d'abord bien dans votre peau et que vous ne vous aimez pas?

QU'EST-CE QUI CLOCHE?

Être bien dans sa peau, cela peut se situer sur différents plans, et les insatisfactions peuvent être nombreuses chez vous. En consultant la liste suivante,
répondez par vrai ou par faux à chacune des affirma-
tions.

• Je mène une vie ennuyante.

• Je ne m'aime pas.

• Je manque de confiance en moi.

• J'ai l'impression que je rate toujours tout.

• Je ne prends pas ou rarement d'initiative.

• Je n'attire pas les autres.

• Je me trouve trop grosse.

• Je ne peux pas m'empêcher de manger mes
émotions.

• J'ai toujours l'impression qu'on me juge.

• Les gens ne recherchent pas ma compagnie.

• J'ai l'impression qu'on ne tient jamais compte
de mon opinion.

• J'aime mieux me tenir dans l'ombre qu'à l'avant-plan.

• Je n'ai jamais rien d'intéressant à dire.

• J'ai rarement l'occasion de me réjouir d'un bon coup que j'ai fait.

• Ma vie amoureuse ne me comble pas.

• Ma vie sexuelle me procure peu de satisfaction.

• Je n'aime pas mon travail.

• J'attends toujours plus de la vie.

• Je pense vraiment que je suis née «pour un p'tit pain».

Si vous avez répondu dans l'affirmative à plusieurs des énoncés, vous venez sûrement de prendre conscience que vos insatisfactions sont nombreuses. Qui sait, vous pourriez peut-être même en rajouter! Tout cela peut vous paraître bien déprimant, mais cet exercice pourrait peut-être agir comme un élément déclencheur afin que vous décidiez de vous prendre en main.

J'ai toujours pensé, et j'en ai eu quantité d'exemples autour de moi, qu'une personne bien dans sa peau se donne toujours plus d'atouts afin de bien réussir sa vie. La confiance en soi et l'estime de soi ont toujours été et sont plus que jamais des éléments de base que l'on doit posséder afin d'être heureux.

Attention, n'allez pas croire que tous vos problèmes vont se régler d'un seul coup, comme par magie, et que, soudainement, un matin, vous allez sauter du lit et être une nouvelle personne! Le travail est long, graduel, mais il mérite grandement d'être accompli.

Je suis persuadée que vous devez vous dire: «On sait bien, elle, elle est bien dans sa peau!» Oh! que vous vous trompez! Je vous répondrai que je suis effectivement passablement mieux dans ma peau que je ne l'ai jamais été, mais je ne suis pas parfaite et à l'épreuve de tout, loin de là. J'ai surtout pris conscience, il y a quelques années, qu'il fallait que je cesse de jouer la victime. Arrêter d'être la victime dans tout ce qui nous arrive de moins bon est la clé du succès pour nous aider à être mieux dans notre peau. Le jour où j'ai compris cela, la vie n'a plus été la même. À chaque frustration, chaque fois que je me sens confrontée à un échec, à un manque ou à un choix difficile, je me pose la question: «Je joue la victime ou je prends le contrôle?» C'est devenu un automatisme, et cette façon de voir les choses m'a amenée à découvrir une nouvelle «moi».

Le travail a été long et ardu pour en arriver là, et il n'est surtout pas terminé. Comme tout le monde, il m'arrive, entre autres, d'hésiter, de ne pas m'aimer en certaines circonstances, de me demander, dans des situations particulières, si je devais dire ce que je pense ou laisser les autres le faire à ma place. Lorsque je me rends compte que je suis aux prises avec ce que j'appelle une poussée de négativisme, j'essaie de faire en sorte, le plus rapidement possible, de trouver une solution à mon problème et, surtout, de tenter de comprendre la cause de cet état.

Lorsque l'idée est née d'écrire ce livre, je ne vous cacherai pas qu'à certains moments, j'étais carrément terrorisée par la page blanche et je ne voyais pas comment je pourrais y parvenir. Ce projet me semblait, au départ, comme si j'avais eu à faire un grand casse-tête mais... j'étais incapable de placer un seul morceau! C'est à force de me convaincre que je serais en mesure d'y parvenir en me mettant à la tâche sans tarder, petit à petit, encouragée par mon mari, que j'y suis parvenue. J'en suis bien fière. L'écriture de ce livre m'a fait un bien énorme et m'a insufflé une bonne dose de confiance. Désormais, moi qui n'avais jamais osé rêver d'écrire un livre, j'ai des projets plein la tête et plus rien ne me paraît impossible. *Sky is the limit*, comme disent les Américains!

RIEN N'EST IMPOSSIBLE

Je crois qu'en tout premier lieu, il faut se répéter et se convaincre qu'il n'y a rien d'impossible. On a régulièrement sous les yeux des exemples probants de personnes qui réussissent, qui sont parvenues à accomplir de grandes choses. Elles doivent nous servir de modèles, d'exemples, pour ne jamais perdre de vue qu'avec de la détermination ou de la volonté, peu importe le terme que vous préférez, on peut parvenir à ses fins.

J'ai toujours beaucoup admiré la chanteuse Céline Dion. Comme des millions de personnes, je suis éblouie par son talent, j'aime l'entendre chanter. Mais j'ai aussi énormément de respect pour elle parce que je sais, comme vous, tous les efforts qu'elle a mis afin de parvenir au sommet de sa profession. Rappelez-vous la petite fille aux canines proéminentes et pas très jolie qu'elle était. Qui aurait pu prédire à cette époque, mis à part son gérant René Angelil, qu'elle deviendrait un jour la vedette québécoise la plus connue dans le monde entier, la plus grande chanteuse de la planète? Céline a maintes fois répété qu'elle a toujours cru à son rêve et qu'elle avait décidé de tout mettre en œuvre pour atteindre son but. Elle était déterminée à réussir, à exercer le métier de chanteuse sur la scène internationale, rien de moins, et à chanter comme son idole Barbra Streisand. Imaginez le bonheur intense que Céline a dû ressentir lorsqu'elle a chanté pour la première fois avec elle et qu'elles ont enregistré une chanson ensemble. Céline s'est imposé beaucoup de sacrifices et a travaillé très fort pour arriver là où elle est aujourd'hui.

J'aime me faire croire que moi aussi, j'ai la détermination de Céline et sa volonté, que tout peut me réussir si j'y mets les efforts. Si elle est devenue un exemple pour bon nombre de chanteuses, pourquoi ne serait-elle pas pour vous et moi un modèle de persévérance? Il y a quelques années, j'en rêvais seulement, mais maintenant, j'y crois, je fais les démarches petit à petit pour arriver à réaliser mes rêves un à un. Déjà, mes efforts ont été récompensés depuis un peu plus de deux ans.

Pour y parvenir, il faut vraiment voir plus loin que le bout de son nez et accepter, dès le départ, de redoubler d'efforts jusqu'à ce qu'on atteigne, les uns après les autres, les objectifs fixés. C'est bien de voir grand, de faire de beaux projets, mais il ne faut pas oublier que le tout se fait étape par étape, graduellement. En vous fixant des objectifs faciles à atteindre, vous aurez vraiment l'impression de faire des progrès, de vous diriger vers votre but ultime. Mais, surtout, ne perdez pas de vue que tout peut arriver, que vos efforts, combinés avec la chance, peuvent aussi faire de vous une gagnante comme Céline Dion si vous prenez les moyens pour être bien dans votre peau.

FAIRE FACE AUX PROBLÈMES

Tenez pour acquis que rien ne doit nous paraître impossible, y compris gagner de la confiance, nous apprécier en tant qu'individu et surmonter nos problèmes. Nous devons d'abord faire la distinction entre nos problèmes intérieurs et les problèmes extérieurs.

Les problèmes intérieurs sont ceux qui nous touchent de près, qui ébranlent notre confiance, qui nous empêchent de nous apprécier à notre pleine valeur. Vous ne vous aimez pas? Vous désirez perdre du poids et cesser de manger vos émotions? Vous avez de la difficulté à aller vers les autres et à dire ce que vous pensez? Votre vie amoureuse est un désastre? Vous vivez difficilement une séparation? Voilà des problèmes intérieurs auxquels il est possible de s'attaquer. Je l'ai fait et je le fais encore aujourd'hui. Certaines périodes sont plus ardues à traverser; les épreuves ne sont pas toujours faciles à accepter, mais, avec de la patience, on y parvient.

Il y a aussi, à l'intérieur de chacun de nous, des moments du passé qui viennent nous chercher, nous bouleverser et jouer avec nos émotions. Il n'y a pas si longtemps, j'ai compris soudainement que lorsque mes pensées se tournaient vers certains événements du passé, je m'effondrais littéralement. Cela pouvait être une réplique qui m'avait touchée et qui avait été dite par un collègue quelques jours auparavant, un geste d'ignorance ou une remarque désobligeante d'un ex-copain, des choses qui, sans que je sache pourquoi, me revenaient tout à coup en mémoire. Eh oui, les vieilles choses qui remontent à la surface de mes émotions et qui m'enragent, me détruisent à petit feu, prennent parfois le dessus sur les belles choses passées que j'ai vécues avec ma fille, mes parents, mon mari! Pourquoi s'y attarde-t-on? Mystère. Il faut croire que ces événements nous ont marqué jusqu'à un certain point et il suffit parfois simplement d'une odeur, d'une phrase que l'on entend, d'une chanson, pour que notre cerveau décide d'aller fouiller dans les archives de notre mémoire.

Par ailleurs, lorsque je regarde aujourd'hui ce que j'ai, ce vers quoi je m'en vais et où je veux aller, quand mes rêves s'affichent devant mes yeux, je ressens une force et des sentiments très positifs à l'intérieur de moi. J'ai appris à chasser les mauvais souvenirs avec «la pensée par en avant». Aussitôt que je songe au passé et que mon estomac se noue, j'effectue le déclic qui me ramène au moment présent ou aux projets et aux rêves que je chéris afin d'exorciser ce sentiment désagréable. C'est mon nouveau truc que j'utilise aussi souvent que nécessaire.

Les problèmes extérieurs, eux, sont d'un autre ordre. Ils peuvent être de nature financière, la maladie qui nous touche ou dont est victime un proche, une perte d'emploi, un accident qui survient, une malchance quelconque. Selon la situation, il faut être conscient que nous pouvons parfois jouer un rôle et même être à la source de ces problèmes. Si vous faites une dépense injustifiée, par exemple, et qu'il ne vous reste plus d'argent en banque pour respecter vos obligations, ou encore si vous dites à votre patron ses quatre vérités et que vous l'envoyez paître, ce qui n'est pas tout à fait à conseiller, vous en paierez le prix et ce ne sera pas ce que j'appelle une situation extérieure. Vous devez reprendre le contrôle de votre vie.

Par contre, il est inutile de vous culpabiliser, de vous répéter à n'en plus finir «Je n'aurais pas dû» ou «J'aurais dû agir autrement». Revenir en arrière pour étudier à la loupe les gestes faits ne réglera absolument rien: les problèmes se présentent et vous devez y faire face. Vous devrez apprendre de vos erreurs, mais il ne faut pas vous acharner et vous démotiver. Au contraire, les gestes à venir sont les plus importants et il faut miser sur votre jugement.

Tous ces problèmes sont autant de raisons qui peuvent nous inciter à manger nos émotions. Certaines personnes vont céder au découragement et se refermer sur elles-mêmes en espérant que la tempête se dissipe, tandis que d'autres vont trouver dans l'alcool, la drogue ou le jeu un réconfort temporaire. Les réactions peuvent être diverses; nous sommes tous des individus uniques avec un bagage d'émotions et d'expériences emmagasinées au plus profond de nous-mêmes.

LA BOULIMIE:
UNE MALADIE QUI FAIT SOUFFRIR

Les soucis et les tracas de toutes sortes peuvent notamment inciter des gens, en forte majorité des femmes, à devenir boulimiques. La boulimie est une maladie beaucoup plus répandue qu'on ne le croit, extrêmement souffrante et désagréable pour les personnes qui en sont atteintes. Si vous croyez souffrir de boulimie, ce qui, à mon avis, est bien différent de ces petites fringales qui nous prennent de temps à autre parce qu'on a besoin de réconfort, je vous invite à consulter votre médecin sans tarder. J'ai connu une femme boulimique il y a une quinzaine d'années et je peux vous assurer que pour rien au monde j'aurais voulu être à sa place. Aux prises avec des problèmes familiaux importants, il lui arrivait de ne pouvoir s'empêcher de manger, souvent jusqu'à ce qu'elle en soit malade. Elle avait raconté à sa meilleure copine qu'il lui arrivait fréquemment de se faire vomir après avoir pris un repas considérable.

Mais, bien souvent, les femmes atteintes de boulimie ne dévoilent pas leur problème parce que celui-ci ne paraît pas. Ce ne sont pas des femmes habituellement obèses; au contraire, elles peuvent maintenir leur ligne parfois grâce aux trucs qu'elles ont découverts pour rejeter la nourriture. Je sais que cette dame qui souffrait de boulimie avait entrepris de consulter un spécialiste et j'ai su qu'elle s'en était bien sortie.

La boulimie, comme d'autres maladies, peut parfois être causée parce qu'on n'arrive pas à exprimer de façon satisfaisante nos émotions. Nous verrons un peu plus loin l'importance d'exprimer nos émotions, mais, pour tout de suite, attaquons-nous aux trucs que l'on peut utiliser afin d'être mieux dans sa peau et de s'aimer un peu plus.

Faire face à ses problèmes n'est pas ce qu'il y a de plus réjouissant et n'est pas non plus chose aisée. Qui d'entre nous n'a pas rêvé de se réveiller un matin et de se rendre compte que tous nos problèmes ont été réglés comme par enchantement ou qu'on a remporté une importante somme d'argent à la loterie? C'est bien de rêver, mais, malheureusement, ce n'est pas tout le monde qui gagne. Il faut se retrousser les manches et se mettre au travail afin de trouver des solutions à nos problèmes. La loi du moindre effort ne réussit pas dans ce domaine.

J'ai trouvé un truc tout simple, un outil psychologique qui me permet de ne pas m'affoler lorsque plusieurs problèmes surgissent de front. Si vous vous tourmentez avec vos problèmes et que, surtout, vous les envisagez tous ensemble, ils vous paraîtront bien sûr absolument insurmontables. Vous aurez du mal à voir la lumière au bout du tunnel et vous passerez des journées entières à vous poser des questions dans le but de trouver, en un rien de temps, toutes les solutions aux problèmes.

Si vous placez dix verres remplis d'eau devant vous sur la table et que vous les disposez les uns à côté des autres, ces verres représentant une montagne à franchir, vous en aurez plein la vue et céderez au découragement, ne sachant plus par quel bout commencer. Par contre, si vous placez les mêmes verres d'eau les uns en arrière des autres, en ligne droite sur la table, vous n'en verrez qu'un à la fois, le premier étant évidemment celui auquel nous avons donné priorité. Il ne s'agit pas, ici, de se cacher ou de fuir

devant les responsabilités et les problèmes, mais plutôt de prendre le contrôle d'une situation qui semblait
nous échapper au départ et qui apparaissait insurmontable.

LA PERSONNE LA PLUS IMPORTANTE, C'EST MOI!

N'allez pas croire que je suis égoïste, bien au contraire.
J'adore les gens qui m'entourent, ils comptent énormément pour moi. Si j'affirme que «la personne la plus
importante dans ma vie, c'est moi», c'est parce que je
crois que c'est en pensant d'abord à soi, en faisant en
sorte que l'on soit bien dans sa peau, que l'on réussit
d'abord à s'aimer et que l'on peut ensuite apprendre à
aimer les autres.

Je ne veux pas dire, ici, que nous devons être axée
uniquement sur soi-même pour arriver à nos fins. Au
contraire. Porter une attention à ce que l'on est, à nos
valeurs, à la façon dont nous pouvons aller chercher
en nous les outils pour être bien nous permettra de
rendre les gens qui nous entourent à l'aise en notre
compagnie ou heureux de partager notre vie.

Nous cherchons sans cesse des appuis autour de
nous, nous tentons de trouver l'amour, de nous entou-
rer de personnes sur qui nous pouvons compter. C'est
vrai qu'il est toujours rassurant de savoir qu'il y a des
gens autour de nous, des personnes ressources, qui
peuvent nous venir en aide, nous sortir du pétrin, nous

aider à négocier avec nos émotions. Il faut cependant penser que ces gens-là ne seront pas forcément toujours là pour nous aider, pour nous apporter du réconfort, et qu'ils ont, eux aussi, leur part de problèmes à régler. Si vous n'avez pas appris à vous aimer et que vous devez fréquemment vous en remettre à des proches afin de pouvoir bien fonctionner, c'est qu'il y a un malaise auquel vous devez vous attaquer. Compter d'abord et avant tout sur soi est primordial. Il faut que vous puissiez trouver à l'intérieur de vous les ressources pour être bien dans votre peau. C'est élémentaire.

APPRENEZ À VOUS ACCEPTER TELLE QUE VOUS ÊTES... ET UN PEU PLUS

Chaque être a ses qualités et ses défauts, des particularités qui font de cette personne une entité unique. D'abord, vous devez apprendre à vous aimer telle que vous êtes, peu importe que des traits physiques ou moraux vous rendent malheureuse. Vous avez un grand nez? À moins de recourir à la chirurgie esthétique, vous vivrez jusqu'à votre mort avec le nez dont la nature vous a doté! Vous êtes trop sensible? Vous ne pouvez tout de même pas vous exercer à retenir vos larmes! En vous apitoyant sur votre sort et en vous morfondant, vous dépensez de l'énergie inutilement et vous vous rendez encore plus malheureuse.

S'accepter telle que l'on est, avec ses défauts et ses qualités, c'est déjà faire un pas dans la bonne direction. Ces défauts que vous n'aimez pas, votre voix que vous trouvez trop aiguë, vos cuisses qui sont trop grosses à votre goût, vous devez d'abord apprendre à vivre avec, même à les apprécier, en attendant de pouvoir corriger certaines choses. Dehors les complexes! Surtout, et c'est tout de même un comportement normal, il faut cesser de se comparer constamment aux autres.

Nous avons toutes, dans notre entourage, une amie ou une connaissance qui déborde d'énergie, qui déplace beaucoup d'air. Simplement à la regarder aller, on en est parfois étourdie! Plutôt que de l'envier, pourquoi ne pas vous accepter comme vous êtes en vous disant que vous faites les choses à votre rythme et que c'est très bien ainsi? Les occasions de se comparer aux autres sont légion, qu'il soit question de qualités, de comportements, de réactions face à des événements ou de biens que votre voisine possède, ou parce que son jardin est mieux réussi que le vôtre! En vous comparant aux autres, vous ne ferez en sorte que de vous mettre de la pression supplémentaire sur les épaules. Vous avez des qualités que les autres n'ont pas, il ne faut pas en douter.

SOYEZ FIÈRE DE VOUS

Prenez le temps de vous arrêter, lorsque vous réussissez quelque chose, pour vous féliciter et pensez à savourer la fierté que vous pouvez ressentir. Vous êtes allée frapper des balles de golf et vous venez de réussir à expédier votre balle à une distance jamais atteinte? Profitez du moment, ajoutez cet exploit à d'autres qui peuvent peut-être vous paraître insignifiants (le succulent repas que vous avez réussi, votre compte de carte de crédit que vous avez entièrement réussi à payer, etc.) mais qui, tout compte fait, réussiront à augmenter votre confiance personnelle.

L'IMPORTANCE DE VOUS GÂTER

Il est important, lorsque vous réussissez quelque chose qui sort de l'ordinaire et qui, à vos yeux, constitue un exploit, de vous permettre une petite gâterie. Vous avez le droit de vous faire plaisir, de vous octroyer du bon temps, de vous récompenser pour vos efforts. Si vous êtes constamment préoccupée par l'importance de toujours vous surpasser et que vous ne prenez jamais le temps de savourer les bons moments, vous accumulerez les frustrations. Au contraire, en vous récompensant pour quelque chose que vous avez réussi, vous augmenterez l'estime que vous vous portez.

APPRÉCIEZ CE QUE VOUS POSSÉDEZ...
ET LA VIE

Plutôt que de jalouser les autres et de les envier, même si cela est parfois inévitable, apprenez à apprécier ce que vous avez, les gens autour de vous, ceux que vous aimez et qui vous aiment. On peut en retirer beaucoup de satisfaction. Faites-vous un nid douillet où il fait bon vous retrouver, appréciez les moments passés en bonne compagnie, les biens que vous possédez, mais attardez-vous également à la beauté de la vie. Avec le rythme trépidant que la plupart d'entre nous mènent, nous avons souvent tendance à oublier toutes ces petites choses qui font la beauté de la vie, des choses que l'on ne remarque presque plus, par exemple prendre le temps d'admirer. À quand remonte la dernière fois où vous avez apprécié un coucher de soleil, la beauté d'un paysage, les rires d'un enfant, le sourire d'une personne? C'est bête, mais c'est souvent à la suite d'une épreuve difficile — une rupture, la disparition d'un proche ou la maladie qui se manifeste — que l'on se jure d'apprécier dorénavant chaque instant qui passe. Pourquoi attendre? Prenez le temps de passer du bon temps en compagnie des gens que vous aimez, de les gâter, d'échanger.

Il m'arrive souvent de regarder mon mari dans les yeux, sans rien dire, ou de le regarder bouger, ce qui l'amène parfois à me demander à quoi je pense. Je lui réponds alors simplement: «Je te déguste...» C'est là la meilleure façon, pour moi, de manger mes émotions et je ne m'en passerais plus.

Faites appel à l'écriture, comme nous en faisions état au chapitre 5, afin de vous aider à vous valoriser. Sur une feuille ou dans votre journal, inscrivez à la fin de la journée la liste des gestes dont vous êtes fière, qui vous ont procuré de la satisfaction. Cela peut être aussi banal que d'avoir été ponctuelle lors d'un rendez-vous, alors que vous avez l'habitude d'arriver toujours avec du retard, ou d'avoir mangé de bonnes choses tout au cours de la journée. Le simple fait de consulter cette liste vous donnera l'énergie et la confiance pour continuer à aller de l'avant. N'oubliez surtout pas qu'il faut prendre les choses les unes après les autres, 24 heures à la fois.

SOYEZ VOUS-MÊME

Quand on a peu confiance en soi, que l'estime de notre personne est à son plus bas niveau, on peut avoir tendance à déformer la réalité, à vouloir masquer les choses qui nous déplaisent chez soi, à trop vouloir en ajouter et à dénigrer les autres pour se valoriser soi-même. C'est loin d'être la situation idéale. Il ne sert à rien de tenter de tromper les autres en jouant un rôle; la plupart du temps, ils ne sont pas dupes et s'en aper-çoivent, ce qui nous forge une réputation de personne artificielle. La première personne que nous trompons en agissant de la sorte, c'est d'abord et avant tout soi-même. Acceptez vos travers et votre façon d'être; pre-nez même le parti d'en rire afin d'évacuer les tensions. Les gens n'auront que plus de respect envers vous s'ils constatent que vous êtes sincère et que vous vous acceptez comme vous êtes plutôt que d'avoir affaire à une personne torturée et complexée.

VOUS MANQUEZ DE VOLONTÉ?

À combien de reprises peut-on entendre dans notre entourage: «Je voudrais bien, mais je ne suis pas capable, je n'ai pas de volonté...»? L'une de mes amies répétait constamment qu'elle avait une bonne dizaine de kilos à perdre et elle ne cessait de me «casser les oreilles» en racontant régulièrement qu'elle n'avait pas de volonté. Pendant des mois, ça a été une vraie blague: alors qu'elle devait être au régime, elle trichait en mangeant une sucrerie, un beignet ou autre chose du genre en cachette, alors qu'elle était au travail, comme si on ne le remarquait pas. De guerre lasse, fatiguée de nous mentir et, surtout, de se priver, elle m'a annoncé une journée qu'elle mettait un terme à son régime amaigrissant. «La vie est trop courte pour que je me prive de manger les choses que j'aime», disait-elle. Cette amie faisait face à deux choix: ou bien elle ne cessait pas de manger et, tôt ou tard, sa santé s'en serait ressentie et c'est son médecin qui l'aurait obligée à suivre un régime, ou bien elle décidait de prendre les choses les unes après les autres, comme l'exemple des verres d'eau. C'est cette seconde option qu'elle a choisie et, aidée par une nutritionniste, elle a entrepris de perdre du poids. Lorsque nous, dans son entourage immédiat, avons constaté qu'elle était sérieuse dans ses intentions, nous n'avons jamais cessé de l'encourager jusqu'à ce qu'elle atteigne son objectif.

Si vous vous appliquez à gagner confiance, à vous affirmer de plus en plus et à vous aimer, vous aurez déjà fait un pas dans la bonne direction. Vous verrez, la confiance que vous aurez acquise vous fera faire des choses parfois étonnantes. Qu'il s'agisse de vous trouver un emploi, d'établir des relations amicales ou amoureuses, ou si vous désirez perdre du poids et mieux contrôler votre alimentation, ou encore cesser de «manger vos émotions», votre confiance et votre volonté vous permettront de faire face à la musique, graduellement, sans bousculer les choses.

LA CONFIANCE EN SOI
PEUT NOUS MENER LOIN!

Lorsqu'on est bien dans sa peau et que l'on est confiante, le destin nous pousse parfois à faire des gestes que jamais nous n'aurions osé commettre auparavant; j'ai moi-même profité de façon exceptionnelle de cette nouvelle confiance en moi. En octobre 1996, un magazine féminin présentait à ses lectrices un spécial célibataires, dans lequel on trouvait la photo et la description de cent hommes. Une collègue avait apporté le magazine au travail et, le lendemain, je me le suis procuré afin de le feuilleter. J'étais alors célibataire depuis deux ans et, depuis environ huit mois, j'avais décidé de me prendre en main. J'avais perdu du poids, j'avais pris confiance en moi, j'avais réussi à cesser de manger mes émotions.

C'est donc par curiosité que je consultais le magazine lorsque la photographie de l'un des hommes a
attiré mon attention. J'avais beau feuilleter les pages,
regarder toutes les photographies, je revenais invaria-
blement à celle de Daniel, qui semblait me regarder,
du moins c'est l'impression que je ressentais. Jamais
au grand jamais, si j'avais feuilleté ce magazine un an
auparavant, parce que je manquais de confiance en
moi, je n'aurais osé aller jusqu'à laisser un message
dans une boîte vocale, ce que j'ai fait... à mon grand
étonnement! J'avais à peine déposé le combiné du
téléphone que je me suis demandé comment il se faisait que j'avais fait ce geste.

Le lendemain, nous nous parlions pour la première fois au téléphone et, dès notre première conversation, ça a été le coup de foudre! Puis, quelques jours
plus tard, nous nous sommes rencontrés dans un café:
j'étais déjà amoureuse! Quand j'ai raconté cette histoire à ma mère et que la nouvelle s'est répandue dans
la famille, mon frère Gilbert n'a pu s'empêcher de s'ex-
clamer à ma mère: «Quoi! Louise, ma sœur, a fait ça?»
C'était effectivement surprenant pour quiconque me
connaissait bien; on savait que j'avais peu confiance
en moi, mais, comme je l'ai mentionné, un change-
ment s'était opéré en moi quelques mois avant de
célébrer mon 40e anniversaire de naissance. J'avais
tout bonnement décidé que j'allais tout mettre en
œuvre pour m'apprécier davantage, pour m'amuser
dans la vie.

Un peu moins de deux ans plus tard, en août 1998, Daniel et moi avons célébré notre mariage, richement entourés de nos enfants, de nos parents et de nos amis, et nous vivons toujours un très grand amour. Aujourd'hui, il ne se passe jamais une journée sans que je remercie le ciel de m'avoir donné le courage de passer à l'action au début de l'année 1996. Après avoir fait, durant quelques mois, un grand ménage intérieur, j'en suis arrivée à réaliser non pas un mais plusieurs rêves. Le destin était probablement écrit, j'y crois fermement, et ma mère, qui nous a maintenant quittés, avait sûrement participé à son écriture. Il demeure toutefois qu'en me retroussant les manches, après toutes ces années d'incertitudes, de travail et de compromis, j'ai assurément contribué à faire bouger les choses dans le bon sens.

CHAPITRE 7
COMMENT CHASSER LE STRESS

Le stress est présent partout autour de nous, dans nos vies, et c'est souvent parce que nous sommes stressées que nous sommes portées à manger nos émotions. Tout peut devenir source de stress: le travail, les relations avec votre conjoint et vos enfants, vos soucis financiers, votre vie amoureuse, la course effrénée contre la montre, pour ne donner que ces exemples. De nombreux livres ont été écrits sur le sujet, nous enseignant notamment à apprendre à gérer notre stress, à évacuer les tensions. Depuis quelques années, j'ai souvent eu recours à divers trucs pour mieux contrôler mon stress, pour me calmer afin, entre autres, de m'empêcher de manger pour me contenter et de m'apaiser. J'aimerais les partager avec vous en espérant de tout cœur qu'ils pourront vous être utiles.

S'ÉVADER PAR LA VISUALISATION

Lorsqu'un événement se produit, me perturbe et remue des émotions chez moi, j'utilise souvent la visualisation pour me calmer. Il suffit simplement de laisser aller notre imagination afin d'aller chercher à l'intérieur de notre cerveau, dans certains cas, des images rassurantes qui nous font du bien. Je dois ici préciser que vous ne devez pas forcément traverser de mauvais moments ou être perturbée pour faire appel à la visualisation. Pour moi, la visualisation me procure beaucoup de réconfort, me donne espoir en l'avenir, et je vous dirais que plus souvent qu'autrement, lorsque l'exercice est répété à maintes reprises, les résultats sont pour le moins étonnants. Chacune a sa méthode, sans doute toutes aussi bonnes les unes que les autres, mais je me contenterai de vous en donner quelques-unes auxquelles je m'adonne.

D'abord, voici comment je procède lorsque j'ai du temps devant moi. Je prends trois profondes inspirations en commençant à compter très lentement à rebours de 20 à 0, en me concentrant sur les chiffres, en tentant de ne penser à rien (lorsque j'utilise cette technique en me glissant au lit le soir, il m'arrive parfois de m'endormir avant même de m'être rendue à 10…). Lorsque le décompte est complété, je visualise des projets qui me sont chers, un rêve qui me tient à cœur, des souhaits pour les membres de ma famille ou pour moi. Puis, avant de «revenir sur terre», je fais une petite prière. Je vais, de cette façon, chercher de l'aide à l'intérieur de moi par la visualisation; ce moment d'arrêt, cette pause, me permet ensuite de continuer mes activités avec encore plus d'entrain.

Parfois, il m'arrive aussi de faire de la visualisation lorsque je suis encore au lit, le matin, pas tout à fait réveillée, entre deux eaux. Je songe à la journée, à ce que j'ai à faire, et je me dis intérieurement que tout va très bien se dérouler, que je vais accomplir mon travail à la perfection. C'est du conditionnement pur et simple, mais, comme je le disais précédemment, cette façon de penser a eu pour moi, ces dernières années, d'excellentes retombées parce qu'il me semble que les choses sont plus faciles par la suite.

Il m'est déjà arrivé, comme vous sans doute, d'avoir à me rendre à une soirée ou à un souper dont je me serais bien passée. En y pensant avant de m'y rendre, je tente de trouver les points positifs, je me conditionne en me disant que les choses vont bien se dérouler, que je vais avoir du plaisir et, habituelle-ment, c'est exactement ce qui se produit. Parfois, il me suffit de fermer simplement les yeux, de prendre trois profondes inspirations, d'expirer lentement, et le tour est joué: j'ai eu le temps de voir de belles images dans ma tête, d'imaginer de beaux scénarios et des mo-ments dont je souhaite ardemment la réalisation.

Les scènes que nous pouvons imaginer, nos sou-haits, demeurent bien personnels. Lorsqu'une envie tenace de grignoter me trotte dans la tête, ou encore pour chasser le stress, je m'imagine confortablement assise dans mon fauteuil à la maison, devant le foyer, avec un bon livre que j'ai terriblement hâte d'entamer. Je suis bien, il fait chaud, une odeur agréable flotte dans la maison. Mon mari est tout près de moi, il dépose un baiser sur mes lèvres et vaque à ses occupations dans la maison. C'est le bonheur! Cette scène que je visualise m'apporte énormément de réconfort.

Autre scénario: peu importe la saison, je m'imagine sur mon terrain, affairée à entretenir mes plates-bandes, à tailler des arbustes, à planter des fleurs, etc. Il n'y a pas de bruit, c'est le calme plat. Vous vous en doutez, depuis le début du livre, j'y fais référence souvent, le jardinage est l'un de mes passe-temps préférés. Visualiser ainsi des scènes m'apporte une grande paix intérieure, et ce, en l'espace d'à peine une minute! Je peux ensuite faire face avec plus de calme à la situation. Essayez ce truc à votre tour, pensez à une image, une situation qui pourrait vous réconforter. Définissez quelle est votre passion, quel est votre plus grand plaisir, et laissez-vous emporter en faisant le vide, laissez voguer votre imagination. Avec un peu de pratique, ce truc vous procurera énormément de bien-être.

FAIRE DU MÉNAGE: QUEL SOULAGEMENT!

Cela vous semblera peut-être amusant, mais lorsque j'ai à composer avec le stress et que je suis à la maison, j'adore faire du ménage et m'activer à laver le bain, à passer l'aspirateur, à classer des papiers, etc. Le fait de dépenser de l'énergie me procure un certain défoulement, puis lorsque le ménage est fait autour de moi, ça me permet de faire le ménage à l'intérieur de moi. Au bureau, j'utilise un peu le même principe quand il m'arrive de ne plus savoir par quel bout commencer, parce que je suis surchargée de travail, qu'il me faut répondre aux demandes toutes plus pressantes les unes que les autres. Je reste au bureau un peu plus tard un soir ou j'arrive plus tôt un matin. Il m'est arrivé, dernièrement, de rentrer quelques heures un week-end... pour faire du ménage! Faire du classement, épurer des dossiers, ranger des tiroirs, et me voilà repartie et plus à l'aise dans mon travail. Le ménage intérieur par le ménage extérieur, quoi!

FAIRE BOUGER SES MUSCLES

Le stress provoque chez nous de drôles de réactions. On effectue parfois des gestes brusques, notre sourire disparaît, on sent un mal de ventre apparaître. Chacune a ses symptômes qu'elle sait reconnaître. Pour ma part, j'ai les muscles tendus lorsque je suis stressée et si j'en ai l'occasion, je fais en sorte de dépenser un peu d'énergie en m'adonnant à une activité comme la marche (assez rapide, tout de même), la course, la bicyclette ou le golf. J'ai eu l'occasion, un jour, d'aller frapper des balles de golf dans un terrain de pratique, après une journée particulièrement ardue au travail, et je peux vous confirmer que le fait de *driver* des balles est une source de défoulement vraiment exceptionnelle. Mon mari, lui, a longtemps eu l'habitude, lorsqu'il vivait des moments de stress, d'aller dans une cour d'école avec sa raquette de tennis et une balle, de frapper la balle et de courir pendant une bonne vingtaine de minutes, ce qui lui permettait d'évacuer la tension.

Lorsqu'il ne vous est pas possible de faire une activité physique, prenez au moins le temps de masser vos muscles, particulièrement ceux du cou et des épaules. Mais si vous avez la chance d'avoir quelqu'un à vos côtés, choisissez le bon partenaire, de préférence, et profitez-en pour lui demander de vous faire un massage, cela vous fera grand bien. Qui sait jusqu'où cela peut vous amener, la détente n'a pas de limite!

ÉVACUER SANS VIOLENCE

Vous avez sûrement déjà entendu ou lu quelque part qu'il était bon de se laisser aller à pleurer ou à crier pour évacuer le stress qui nous envahit. Si cette méthode vous convient et qu'elle est efficace dans votre cas, ne vous gênez surtout pas. Un cri poussé de bon cœur pour laisser échapper la pression alors que vous vous promenez en pleine nature, ou dans votre automobile alors que les fenêtres sont fermées, peut sûrement vous être bénéfique. Par contre, je ne crois pas que ce soit sain, sous prétexte de se défouler et de vouloir chasser le stress, de faire preuve de violence, par exemple casser des choses ou frapper sur un objet comme un coussin. Cette thérapie, à mon avis, peut devenir dangereuse et faire en sorte qu'un jour, un individu, sous pression et très stressé, puisse en venir à en frapper un autre.

EN TOUTE QUIÉTUDE...

Lorsqu'il m'arrive, pour une raison ou une autre, d'être victime de stress, je préfère opter, selon le cas, pour des activités très reposantes comme la lecture ou l'écriture. Ayez toujours sous la main un livre ou un magazine qui vous passionne et dans lequel vous pouvez plonger si vous sentez que vous êtes sur le point d'exploser. L'idée est simple: cet outil sert à vous changer les idées, tout comme l'écriture qui peut venir à votre rescousse, alors que d'autres réussiront à faire passer la tempête en faisant, par exemple, des mots croisés.

La musique est également une excellente source d'apaisement. Certains vont écouter leur musique préférée à fond la caisse, alors que d'autres se contenteront d'écouter des chansons à un volume sonore plus normal, mais, peu importe, l'important est que l'utilisation de la musique puisse agir positivement sur votre moral. Question de bien vous défouler, vous pouvez également écouter votre chanson préférée, celle que vous connaissez parfaitement, en ne craignant pas de vous prendre pour la chanteuse et de chanter à tue-tête, avec «fureur».

Le rire est également une excellente thérapie pour venir à bout du stress et des ennuis de toutes sortes. Visionnez une comédie, écoutez un disque qui vous fait rigoler à tout coup ou plongez dans une bande dessinée si le cœur vous en dit! Si vous sentez la pression monter, vous pouvez également téléphoner à quelqu'un qui vous est cher, que vous appréciez beaucoup, en sachant fort bien que cette conversation aura un effet bénéfique sur votre moral. Quant à moi, je considère qu'il n'y a guère d'activité plus relaxante que de me laisser tremper dans un bon bain chaud, avec, en guise d'éclairage, quelques bougies. Le bonheur!

Conclusion

Manger ses émotions et gagner du poids est un problème qui affecte un grand nombre d'individus, peu importe leur âge, leur sexe et leur classe sociale. Ce problème, comme le tabagisme, la dépendance à l'alcool ou à la drogue, ne se règle pas toujours aussi rapidement que nous le souhaiterions.

J'ai écrit ce livre avec l'idée que mes expériences personnelles pourraient être d'une quelconque utilité à l'une d'entre vous. Que vous décidiez de suivre un régime, de tout faire pour ne plus manger vos émotions ou de manger sainement, tout est question de confiance et de persévérance. Donnez-vous la chance de vous prouver que vous pouvez vous surpasser et faire preuve de volonté et de détermination. Ayez confiance en vous!

Lorsqu'on doit encaisser un coup dur, on trouve souvent à l'intérieur de soi des ressources insoupçonnées qui nous permettent de faire face à la musique, souvent à notre grand étonnement. Pourquoi n'essayeriez-vous pas d'aller puiser dans ces réserves afin de parvenir à atteindre vos objectifs? Demeurez positive, voyez l'avenir avec beaucoup d'optimisme en vous répétant fréquemment que de bonnes et belles choses surviendront. Apprenez à vous aimer, à être fière de votre personne, à avoir confiance en vos possibilités. Plutôt que de manger vos émotions, croquez dans la vie!